# CHERUB

## Mission 14 :
## L'ANGE GARDIEN

www.casterman.com

casterman
87, quai Panhard-et-Levassor
75647 Paris cedex 13

Publié en Grande-Bretagne par Hodder Children's Books, sous le titre : *Guardian Angel*
© Robert Muchamore 2012 pour le texte.

ISBN : 978-2-203-04371-8
N° d'édition : L.10EJDN000968.N001

© Casterman 2013 pour l'édition française.
Achevé d'imprimer en novembre 2012, en Espagne.
Dépôt légal : février 2013 ; D.2013/0053/80
Déposé au ministère de la Justice, Paris (loi n°49.956 du 16 juillet 1949 sur les
publications destinées à la jeunesse).

# MISSION 14
# L'ANGE GARDIEN
## Robert Muchamore

CHERUB

Traduit de l'anglais
par Antoine Pinchot

casterman

# 1. Jour cent

*12 MARS 2012*

Douze recrues avaient entamé le programme d'entraînement initial en décembre 2011, mais une exceptionnelle série de défections — cinq abandons, une entorse, une fracture du poignet, une pneumonie et une grave crise d'asthme — avait considérablement réduit ce contingent. Au matin du centième jour de l'épreuve, on ne comptait plus qu'une fille et deux garçons en compétition.

Les instructeurs Speaks et Kazakov avaient passé la nuit à jouer aux cartes et à siroter du whisky dans la cabine du chalutier déglingué qui tanguait sur les flots écumants, au large de la côte ouest de l'Écosse.

Les trois élèves n'étaient pas d'humeur à admirer le spectacle sauvage qui s'offrait à leurs yeux, ces îles nimbées d'un brouillard que le soleil, perché dans le ciel bleu, ne parvenait pas à percer. Ils avaient passé la nuit sur le pont balayé par des gerbes d'eau glacée, sans autre équipement qu'un amas de matériel de pêche. Après avoir bâti un abri à l'aide de flotteurs et de cordages, ils avaient glissé bras et jambes dans les mailles d'un filet de manière à ne pas être emportés par une déferlante, puis s'étaient pelotonnés en chien de fusil afin de se réchauffer.

Léon Sharma, dix ans, avait hérité de la place la plus douillette, dos à son frère jumeau Daniel et blotti contre les larges épaules de Fu Ning, une fille âgée de douze ans originaire de

5

Chine. La nuque de cette dernière était criblée de piqûres de moustique, son T-shirt bleu ciel souillé de taches d'herbe, de sang et de terre ocre d'Australie.

Avant le début de l'épreuve, Léon n'aurait jamais pu trouver le sommeil sur le pont d'un bateau chahuté par les vagues de l'Atlantique, mais les instructeurs maintenaient leurs recrues dans un perpétuel état d'épuisement. De cette façon, ils les habituaient à dormir dès que l'occasion se présentait, quelles que soient les conditions de confort.

La souffrance l'avait réveillé avant ses camarades. La veille, lors d'une marche forcée, il avait trébuché et s'était étalé dans un buisson. Une épine s'était glissée sous l'ongle de son pouce droit et l'avait fendu en deux. C'était la plus récente et la plus douloureuse des innombrables blessures — coupures, plaies, ampoules et ecchymoses — dont son corps était constellé.

Son estomac émit un grondement désespéré. Le jour précédent, en raison de sa chute, il n'avait pu rejoindre son objectif dans les délais prévus par son ordre de mission. Pour le punir, Speaks avait jeté son dîner au feu.

Léon se souvint qu'il disposait d'un peu de nourriture à portée de main. Les recrues n'étaient pas autorisées à emporter des vivres, mais il avait vu Ning chiper un paquet de biscuits dans le chariot de l'hôtesse, à bord de l'avion qui les avait ramenés d'Australie, quelques jours plus tôt.

Redoutant qu'une vague n'emporte son sac à dos au cours de la nuit, Ning en avait noué les bretelles autour de ses chevilles. Léon approcha prudemment la main de la poche principale.

C'était une manœuvre extrêmement risquée : plus âgée que lui, Ning avait pratiqué la boxe au plus haut niveau dans une académie sportive de son pays d'origine. En dépit du vacarme généré par le moteur du chalutier, il lui semblait que chaque dent de la fermeture Éclair produisait un son comparable au claquement d'une arme automatique.

Dès que l'ouverture fut assez large pour y glisser l'avant-bras, il fouilla à l'aveuglette dans les affaires de sa coéquipière. Il identifia des vêtements humides, reconnut le manche d'un couteau de chasse puis dénicha le sachet en plastique contenant les sablés.

Alors qu'il s'efforçait d'extraire le butin sans réveiller sa propriétaire, la paume de sa main entra au contact d'un objet qu'il palpa avec intérêt : un parallélépipède de carton aux angles légèrement arrondis. En le pressant entre le pouce et l'index, il identifia un alignement de petits disques légèrement spongieux. Il s'agissait d'un paquet de Pim's, sans l'ombre d'un doute.

Léon pensa à la saveur acidulée de la marmelade d'orange et au fondant du chocolat. Aussitôt, un flot de salive déferla dans sa bouche. Il tira du sac l'objet de sa convoitise, ouvrit l'emballage, déchira l'enveloppe de papier argenté avec les dents, lâcha un grognement de satisfaction puis dévora un petit gâteau.

C'était absolument divin.

Il en goba un deuxième, un troisième, puis sentit une main se poser sur son épaule.

— Tu ne vas tout de même pas liquider le paquet à toi tout seul ? chuchota Daniel.

— Tu as dîné, toi, hier soir, répondit Léon. Moi, je *crève* de faim.

— Si tu refuses de partager, je te dénoncerai à Ning. Elle t'écrasera comme une coquille d'œuf.

Léon savait que Daniel ne mettrait jamais sa menace à exécution. Un lien indéfectible l'unissait à son jumeau, et c'est cette solidarité qui lui commandait de partager sa trouvaille.

À l'instant où Daniel fourrait un gâteau dans sa bouche, la porte de la cabine s'ouvrit à la volée.

— Tu as du chocolat sur la lèvre supérieure, chuchota Léon en chassant du plat de la main les miettes qui avaient atterri sur son T-shirt. Si on se fait pincer, on est morts.

Sur ces mots, il referma hâtivement le sac et déglutit les dernières preuves de son forfait. Speaks débola sur le pont. Tout en lui inspirait l'effroi. Ses rangers d'une pointure irréelle et son crâne rasé luisaient comme des boules de billard. Les lunettes de soleil à verres miroir qui masquaient son regard lui ôtaient toute trace d'humanité.

— Bien dormi, vermine ? gronda-t-il, le sourire aux lèvres, en réveillant Ning d'un coup de pied dans les côtes. Debout, immédiatement. Je ne le répéterai pas deux fois.

Ning se débarrassa du filet de pêche puis massa ses épaules meurtries par les sangles de son sac lors de la marche de la veille. Redoutant de recevoir un coup pour s'être montrée trop nonchalante, elle se raidit. À son grand soulagement, Speaks se planta devant l'entrelacs de cordes et ramassa un morceau de papier argenté. Son visage exprimait une épouvante feinte.

Aussitôt, Ning comprit de quoi il retournait : l'un des jumeaux avait fouillé dans son sac et déniché ses réserves clandestines. Elle fusilla ses coéquipiers du regard.

— Tiens, tiens ! lança l'instructeur tandis que les recrues s'alignaient sur le pont du chalutier. Voilà qui constitue une violation *flagrante* du règlement. Mr Kazakov, venez voir ça, je vous prie.

En dépit de ses cinquante-cinq ans et de ses cheveux gris, Kazakov, vétéran de la guerre d'Afghanistan, avait conservé l'énergie qui lui avait permis, trente ans plus tôt, de survivre à ce conflit au sein des forces spéciales. Il se rua hors de la cabine chargé d'une grappe de gilets de sauvetage fluorescents.

— Qui s'est avalé ce paquet de Pim's ? hurla Speaks. Si le coupable se dénonce immédiatement, je tâcherai de me montrer clément.

Ning n'en menait pas large. Si les instructeurs décidaient de procéder à une perquisition, ils découvriraient inévitablement les biscuits dérobés à bord de l'avion.

— Ce ne sont que des déchets, monsieur, dit Léon. Sans doute un emballage porté par le vent lorsque le bateau se trouvait à quai.

Speaks considéra les dents souillées de traces brunes de son interlocuteur. Il lui pinça fermement la joue et le tira vers lui sans ménagement.

— S'il est une chose que je ne peux pas tolérer, c'est le mensonge ! aboya-t-il en secouant Léon comme un prunier avant d'attraper son pouce blessé et de le serrer de toutes ses forces.

L'enfant grimaça. La croûte qui s'était formée sur son ongle se rompit, puis un flot de sang dégoulina le long de son avant-bras.

— Tu oses me mentir les yeux dans les yeux ? hurla Speaks. Crois-tu vraiment que je vais me ramollir sous prétexte que nous en sommes au centième jour du programme ? Donne-moi tes affaires, et voyons quels autres produits de contrebande tu as réussi à te procurer.

Les larmes aux yeux, Léon se traîna jusqu'à l'abri de fortune où les recrues avaient passé la nuit et attrapa son sac à dos.

Ning lâcha un bâillement faussement décontracté puis observa les alentours. Le chalutier flottait dans une anse encadrée de falaises verticales qui émergeaient de la brume à moins d'une centaine de mètres.

Speaks fit glisser la fermeture Éclair du sac de Léon et éparpilla ses effets sur le pont inondé d'eau salée. Kazakov pointa un doigt vers le rivage.

— Il est presque sept heures du matin, et l'épreuve est censée s'achever à minuit. Sur cette île sont dissimulés trois T-shirts gris. Si vous parvenez à mettre la main sur l'un d'eux, vous pourrez vous féliciter d'avoir obtenu l'accréditation d'agent opérationnel. Il vous suffira alors de nous contacter à l'aide de votre émetteur, et nous viendrons vous récupérer.

Mais si, à ce moment-là, l'un de vous porte toujours cette loque bleu ciel, il aura la joie de nous retrouver au campus, dans trois semaines, afin d'entamer une nouvelle session du programme d'entraînement initial. Des questions ?

Daniel leva la main.

— Monsieur, ces T-shirts se trouvent-ils tous au même endroit, ou sont-ils disséminés aux quatre coins de l'île ?

Kazakov s'accorda un moment de réflexion.

— Ça, c'est à vous de le découvrir, répondit-il en remettant à Ning l'un des gilets de sauvetage.

Elle l'enfila, s'agenouilla sur le pont et glissa une bâche imperméable autour de son sac à dos. Lorsque Léon se baissa pour ramasser ses affaires éparpillées, Speaks le saisit par l'élastique de son short et le souleva d'une main dans les airs.

— Je crois que tu vas devoir te passer d'équipement, gronda-t-il.

Sur ces mots, il se dirigea vers la poupe du chalutier et jeta sa victime au-dessus du bastingage.

— Bonne baignade ! brailla l'instructeur avant de lui lancer un gilet de sauvetage.

Kazakov se tourna vers Ning et Daniel.

— Qu'est-ce que vous attendez pour le rejoindre, vous autres ? Que la température de l'eau soit à votre convenance ? À la flotte, immédiatement !

## 2. La loi des Aramov

Ethan Kitsell avait passé les douze premières années de sa vie en Californie, dans une villa pour milliardaire dressée au bord du Pacifique, à quelques mètres de la plage. Sa mère, propriétaire d'une société spécialisée dans la sécurité informatique, roulait en Ferrari. Il ne se préoccupait alors que d'étudier la robotique et la science des échecs.

Mais cette existence dorée était bâtie sur le mensonge. La mère d'Ethan ne se nommait pas Gillian Kitsell, mais Galenka Aramov. Elle était la fille d'Irena Aramov, dirigeante d'un puissant réseau criminel basé au Kirghizstan, une ancienne république d'URSS perdue au beau milieu de l'Asie centrale.

Le clan Aramov disposait d'une flotte de soixante avions-cargos dédiée au transport des narcotiques, des armes, des produits de contrefaçon, des mercenaires et des immigrants illégaux.

Ethan n'avait découvert la vérité sur sa famille que cinq mois plus tôt, lorsque deux hommes cagoulés s'étaient introduits à son domicile et avaient exécuté sa mère. Suite à une erreur d'identification, les tueurs avaient également supprimé son meilleur ami, et il n'avait pu fuir la villa qu'*in extremis*.

À l'annonce du drame, Irena Aramov avait ordonné son exfiltration au nez et à la barbe des autorités américaines.

Ethan détestait le Kirghizstan. Il lui arrivait de regretter que les tueurs n'aient pas rempli leur objectif initial : une balle dans la tête eût sans doute été préférable à l'existence à laquelle il était désormais condamné.

En cette fin d'après-midi de printemps, une nuée d'enfants dévalait les marches menant à l'entrée de l'école 11, un sinistre bloc de béton comportant trois étages. Bichkek, la capitale du Kirghizstan, était la ville la plus riche du pays, mais les murs de l'établissement étaient rongés par l'humidité. Ses camarades de classe portaient des vêtements élimés. Chaque midi, lorsqu'il déballait son sandwich, ils le contemplaient avec des yeux envieux.

Tandis qu'il se dirigeait vers l'arrêt du car, une jeune fille pressa le pas pour se porter à sa hauteur puis lui adressa une claque amicale dans le dos.

— Alors, comment s'est passée ta journée ? demanda Natalka.

Elle s'exprimait en russe. Elle était un peu plus petite qu'Ethan, mais athlétique et tout en courbes. Son visage constellé de taches de rousseur était absolument ravissant.

— C'était nul, répondit-il.

— Pareil. Je meurs d'envie de m'en griller une.

Ils passèrent devant un groupe de garçons plus âgés assis sur un muret.

— Pourquoi tu traînes avec ce minable, Natalka ? ricana l'un d'eux.

— Parce que c'est un Aramov, grogna l'un de ses complices.

Pour toute réponse, la jeune fille fronça le nez et leur adressa un doigt d'honneur.

— Ne fais pas attention à ces abrutis, lança-t-elle à l'adresse d'Ethan.

Natalka ne s'était pas liée d'amitié avec l'héritier du clan Aramov en raison de son statut social. Elle rejetait en bloc la société kirghize ; il était plongé dans un profond état de dépression. Bref, ils étaient faits pour s'entendre.

— J'ai dû rester assis à côté de Kadyr tout l'après-midi, gémit Ethan. Passe encore qu'il ne se lave jamais, mais il se gratte les noix sans arrêt. Ensuite, il se permet d'emprunter ma calculatrice.

— Beurk! lâcha Natalka en sortant un paquet de cigarettes de la poche arrière de son jean. Je hais cette bande de clochards. Il faudrait leur couper les vivres. Qu'on me passe une mitrailleuse, et je réglerai définitivement le problème de la pauvreté.

— Excellente idée, gloussa Ethan, un peu mal à l'aise, sans savoir si son amie plaisantait ou exposait un authentique programme politique.

— Je ne sais pas ce que tu fous ici. Ta grand-mère aurait largement les moyens de t'inscrire dans une école privée.

— Elle refuse que je vive dans une bulle. Elle dit que je dois apprendre à connaître la culture de mon pays.

— Tu parles d'une culture! Un pays où les hommes jouent au polo avec une tête de chèvre et kidnappent les filles qui les branchent... Tu veux une taffe?

Ethan porta la cigarette à ses lèvres et aspira une longue bouffée. La nicotine lui fit aussitôt tourner la tête.

— Qu'est-ce que je donnerais pour m'envoyer un *burrito* bien gras, aller voir un film dans un multiplex et faire chauffer la carte gold de ma mère dans un Apple Store...

— T'inquiète. Quand on sera en Amérique, on claquera ton héritage en un rien de temps! Eh, t'endors pas sur ma clope. Il ne m'en reste que deux, espèce de salopard.

— Aux États-Unis, plus personne ne fume, ricana Ethan en portant hâtivement la cigarette à ses lèvres. Ils pensent même qu'on peut choper le cancer rien qu'en respirant la fumée d'un autre.

Natalka éclata de rire.

— Ici, les gens picolent tellement qu'ils en crèvent avant de s'être déglingué les poumons.

Ils atteignirent l'abri devant lequel était stationné le car qui effectuait la liaison entre l'école et le Kremlin[1].

C'est ainsi que les habitants de la région désignaient le grand bâtiment planté à proximité de l'aérodrome d'où le clan Aramov conduisait ses opérations. En effet, la plupart de ses résidents, hommes de main, pilotes et mécaniciens, étaient des Russes et des Ukrainiens. La mère de Natalka, originaire de Kiev, était pilote d'avion-cargo.

Tous les enfants qui vivaient au Kremlin étaient contraints d'emprunter un autocar pour rejoindre l'école 11, où l'enseignement était dispensé en russe. Dans les établissements ruraux, les professeurs n'employaient que le kirghiz.

Conformément au règlement, les enfants les plus jeunes avaient quitté le lycée vingt minutes avant les élèves du secondaire. Installés sur les banquettes du véhicule de fabrication soviétique rongé par la rouille, ils piaffaient d'impatience.

Deux des fils de Leonid Aramov, l'un des oncles d'Ethan, étaient juchés sur le marchepied. Alex, seize ans, occupait les fonctions de chauffeur. Son frère Boris, de trois ans son aîné, semblait éprouver quelque difficulté à tenir debout. Tous deux s'envoyaient de grandes rasades de bière hollandaise fortement alcoolisée.

Ethan n'avait rien à voir avec ses cousins. Ces derniers avaient interrompu leur scolarité à l'âge de quinze ans. Ils passaient le plus clair de leur temps à soulever des haltères, à chevaucher aux environs du Kremlin, à courir les filles et à se prévaloir de leur nom de famille pour se comporter tels des caïds.

Sa cannette vidée jusqu'à la dernière goutte, Alex la jeta sur la chaussée, s'installa derrière le tableau de bord puis

---

1. Située au cœur de Moscou, la forteresse du Kremlin abrite le centre du pouvoir russe depuis le Moyen Âge.

lança le car sur la route criblée de nids-de-poule. Sa conduite brutale trahissait un état d'ébriété avancé. En outre, comme la plupart des conducteurs de Bichkek, il ne gardait qu'une main sur le volant de façon à actionner l'avertisseur à l'approche de chaque carrefour ou lorsqu'une passante lui tapait dans l'œil.

À peine la moitié des places étant occupées, Ethan et Natalka étaient étendus sur deux banquettes placées de part et d'autre de la travée centrale. Incapables de rivaliser avec les coups de klaxon et les hurlements des gamins qui se livraient à une bataille de pistaches à l'arrière du car, ils ne purent échanger une parole pendant plusieurs minutes.

— Sortez-moi de ce zoo, grogna Natalka.

Ethan hocha la tête en signe d'assentiment. Il remarqua qu'elle avait défait deux boutons de sa chemise à carreaux, offrant une vue plongeante sur son décolleté.

— Salut, lança une petite voix en anglais.

André, le troisième fils de Leonid Aramov, se tenait dans la travée. Âgé de dix ans, c'était un garçon aux traits angéliques n'offrant aucune ressemblance avec ceux de ses frères.

— Pousse tes pieds, dit-il avant de se glisser sur le siège où Ethan avait étendu les jambes. Je veux que tu m'aides à travailler mon anglais.

— Je suis crevé. Pourrait-on remettre ça à plus tard? Ce soir, dans ta chambre?

Natalka, qui se plaisait à tourmenter les plus jeunes, se pencha en avant et chuchota à l'oreille du petit garçon :

— File-moi tes clopes.

— Je n'en ai pas. Le tabac tue, les fumeurs puent.

— Tu trouves que je sens mauvais? File-moi tes clopes, je te dis, ou je te massacre.

Loin de se laisser démonter, André secoua la tête avec consternation puis se tourna vers Ethan.

— J'ai lu une blague que je ne comprends pas.

— OK, vas-y, je t'écoute.

— Quel est le biscuit préféré d'Internet ?

— Je ne sais pas.

— Le cookie, dit André. Tu y comprends quelque chose, toi ?

— C'est un jeu de mots. Le cookie désigne un petit gâteau mais aussi une série de données qui s'installe sur ton ordinateur quand tu visites certains sites.

— Je vois. Attends, j'ai une autre question.

À cet instant, une violente secousse ébranla le car. Alex enfonça la pédale de frein, projetant tous ses passagers vers l'avant. Natalka heurta le dossier placé devant elle puis atterrit lourdement sur le sol tapissé d'un linoléum d'une saleté repoussante.

— Qu'est-ce qui s'est passé ? demanda-t-elle. On a heurté quelque chose ?

— Ça n'aurait rien d'étonnant, vu la façon dont mon frère conduit, fit observer André.

Ethan jeta un coup d'œil à l'extérieur. Ils se trouvaient hors des faubourgs de Bichkek, sur un axe qu'empruntaient les nombreux camions de marchandises qui faisaient la navette entre la Chine et la Russie. Le car avait fait halte près d'une cabane de fortune dressée sur le bas-côté, où un vieillard proposait des boissons et des kébabs d'agneau cuits sur un bidon reconverti en barbecue. Natalka et Ethan avaient déjà goûté à ces sandwichs : abstraction faite des ongles crasseux et jaunis par la nicotine de l'homme qui les préparait, ils étaient absolument délicieux.

Alex descendit du car et se précipita vers la buvette, Boris sur les talons. Ce dernier bomba le torse et lança quelques mots en kirghiz, un dialecte dont Ethan ne comprenait pas un traître mot.

— C'est quoi, son problème ?

Les jeunes passagers se regroupèrent derrière la lunette arrière pour ne rien manquer du spectacle. Alex saisit le vieil homme terrifié par le col et lui asséna un direct en plein visage.

— Et bing! s'exclama-t-il, tout joyeux, tandis que sa victime roulait dans la poussière.

D'un coup de pied, Boris renversa le barbecue de fortune, éparpillant cendres et braises sur la chaussée. Du talon, Alex écrasa la main du vendeur.

— Tu es content? gronda-t-il en russe. Tu as eu ce que tu cherchais?

À l'aide d'une pince dénichée parmi les ustensiles de cuisine, Boris ramassa un morceau de charbon rougeoyant. Les enfants qui assistaient au spectacle grimacèrent. Plusieurs d'entre eux détournèrent le regard.

Ethan interrogea André.

— Qu'est-ce qu'ils lui reprochent?

— J'en sais rien, moi. Je ne suis pas dans la tête de mes frères, et c'est beaucoup mieux comme ça.

Alex pesa de tout son poids sur la main du Kirghiz.

— Voilà ce qui arrive à ceux qui désobéissent aux Aramov, dit-il.

Boris approcha la braise du visage de sa victime jusqu'à ce que les poils de sa barbe se mettent à grésiller.

— Si on te revoit ici, tu es mort, grogna Boris. Il n'y aura pas d'autre avertissement.

# 3. Gris

Ning était robuste mais médiocre nageuse. Lorsqu'elle émergea de l'eau glacée et tituba sur la plage de galets, les jumeaux avaient déjà ôté leurs tenues détrempées, s'étaient frottés à l'aide d'une serviette éponge puis avaient enfilé des vêtements secs.

Lorsqu'il vit approcher sa coéquipière, Léon baissa les yeux.

— Je sais que j'aurais dû te demander la permission, dit-il en levant les mains à hauteur du visage, convaincu qu'il allait recevoir une claque retentissante.

— Laisse tomber, répondit Ning avant de lâcher son sac et de défaire son gilet de sauvetage.

Elle n'en voulait pas vraiment à Léon d'avoir dévoré ses biscuits, mais elle était furieuse qu'il se soit permis de fouiller dans ses affaires. Cependant, elle préféra en rester là, car elle savait qu'ils devraient travailler en équipe pour conserver la moindre chance de sortir vainqueurs de la dernière épreuve du programme d'entraînement.

— On se sépare ou on reste groupés ? demanda Léon en considérant son environnement d'un air songeur. Cette île ne me semble pas très grande.

— On devrait pouvoir en faire le tour en une heure, confirma Daniel. Si ça se trouve, ils ont décidé d'être sympas avec nous. Ils ont déjà perdu neuf recrues. Ils ne peuvent quand même pas revenir au campus sans un seul agent accrédité.

— Détrompe-toi, répliqua Ning. Tels que je les connais, ils s'en tiendront strictement aux critères d'admission réglementaires.

— Eh, visez ce truc, bande de losers, lança Léon en désignant une caisse de munitions rouillée et cabossée.

— Méfiance, avertit Daniel. Elle est peut-être piégée.

Ning partageait ses craintes. Au troisième jour du programme, elle s'était ruée avec enthousiasme vers un objectif placé en évidence puis avait passé deux heures et demie à se dépêtrer d'un filet qui l'avait entraînée jusqu'à la cime d'un arbre.

— Je ne suis pas complètement débile, maugréa Léon. Il me faudrait un bâton...

La boîte était équipée d'un fermoir, mais ne disposait pas de cadenas. Daniel ramassa un long morceau de bois flotté et le tendit à son frère.

— Chacun son tour, dit Léon. J'ai trouvé la boîte, à toi de l'ouvrir.

— On pourrait tirer à pile ou face, sauf qu'on n'a pas de monnaie.

— Faudrait peut-être vous décider à grandir, soupira Ning en arrachant la perche des mains de Daniel.

Au fil de la session d'entraînement, les recrues avaient fini par comprendre que les instructeurs n'avaient pas *réellement* l'intention de les tuer. Plus lasse qu'inquiète, Ning glissa l'extrémité du bâton sous le couvercle : elle s'attendait à voir surgir un essaim d'insectes, à essuyer un choc électrique ou, au pire, à être aveuglée par une grenade incapacitante.

Léon et Daniel placèrent les mains devant leur visage. Contre toute attente, le couvercle se souleva sans qu'aucun phénomène ne se produise, révélant une nappe à carreaux rouges et blancs. Ning en écarta un pan et découvrit des œufs durs, du fromage, de la charcuterie et une Thermos de thé.

— Faites gaffe, on ne sait jamais, dit Daniel.

Mais Léon, tenaillé par la faim, ignora toute prudence. Il se précipita vers le coffre, s'agenouilla devant les victuailles et engloutit plusieurs tranches de salami.

— Bon sang, c'est exactement ce dont je rêvais ! s'exclama-t-il.

Ning s'empara de la Thermos et en dévissa le bouchon. En se penchant au-dessus de la caisse, elle découvrit plusieurs bouteilles d'eau minérale et un paquet de forme rectangulaire recouvert de papier brun.

— Ça vous dérange si je prends le dernier œuf ? supplia Léon. Tu sais, je commence à croire que tu avais raison, Daniel. Les instructeurs ne peuvent pas passer trois mois et demi à diriger ce programme d'entraînement et revenir au campus sans aucun agent opérationnel.

Ning avala une tranche de salami roulée autour d'un morceau de fromage puis déchira prudemment l'enveloppe de papier kraft.

— Des T-shirts, s'étrangla-t-elle en découvrant une boîte de verre transparent laissant apparaître un rectangle de tissu gris frappé du logo de CHERUB.

Les jumeaux se précipitèrent vers la boîte avec tant d'empressement que leurs crânes faillirent se heurter.

— Ils y sont tous les trois ? s'inquiéta Léon.

Rompu aux coups fourrés des instructeurs, il redoutait qu'une seule récompense n'ait été placée dans la caisse de façon à semer la zizanie parmi les recrues.

— Si vos grosses têtes ne masquaient pas toute la lumière, je pourrais peut-être y voir plus clair, maugréa Ning.

Mais les jumeaux ne bougèrent pas d'un pouce : si le coffret ne contenait qu'un T-shirt, ils craignaient que leur coéquipière ne s'en empare. Or, compte tenu de sa musculature et de sa maîtrise de la boxe, ils n'auraient aucune chance de le lui disputer.

— S'il n'y en a qu'un, je propose qu'on tire au sort, suggéra Daniel. Ce serait plus juste.

— N'oubliez pas que je suis blessé, fit observer Léon. Vous pourriez faire un geste...

— Mais bien sûr ! Comme si on allait te donner ce T-shirt sous prétexte que tu as mal au pouce ! Et même si on acceptait, tu crois vraiment qu'on te laisserait retourner au bateau sans nous aider à trouver les deux autres ?

— Mais vous allez la fermer, vous deux ? grogna Ning en se penchant à l'intérieur de la caisse. OK, ils sont là tous les trois. Tout ça me semble *beaucoup trop* facile.

Lorsqu'elle fit basculer la boîte de verre sur le côté, elle la trouva prodigieusement lourde. Alors, elle réalisa que les vêtements n'avaient pas bougé d'un centimètre.

— Reculez, lança-t-elle. Il y a un os.

Tandis que les garçons s'écartaient vivement, Ning souleva le parallélépipède transparent où étaient enfermés les T-shirts. Elle eut toutes les peines du monde à l'extraire de la caisse. Il finit par lui échapper des mains et s'écrasa lourdement sur les galets.

— Bordel, ça pèse une tonne, gémit-elle.

— Il nous faudrait un objet très lourd et très dur pour briser ce truc, dit Daniel.

— On pourrait essayer avec ton crâne, suggéra Léon.

— Très drôle, grinça son frère en ramassant un énorme galet. Tournez-vous et fermez les yeux pour vous protéger des éclats de verre.

Il leva la pierre au-dessus de sa tête et frappa au centre du bloc. L'objet rendit un son creux. Il renouvela sa tentative puis s'accroupit pour en observer la surface.

— Pas une rayure, dit-il.

— Et si tu visais les angles au lieu de t'acharner sur la partie la plus lisse ? demanda Léon.

— Pas bête, répondit Daniel.

Au troisième essai, ce dernier lâcha un hurlement. Le galet venait de se briser au contact du coffret, et il s'était blessé la paume contre l'arête de verre.

— Merde! cria-t-il, titubant vers l'arrière en exhibant sa main sanglante. Saloperie de camelote de caillou!

— Léon, intervint Ning, déchire un morceau de nappe et fais-lui un bandage.

— Ça va, ce n'est pas si grave, gémit Daniel en s'essuyant les doigts dans sa polaire. Ça fait un mal de chien, mais je ne vais pas en mourir.

— Bon, comment vous voyez la suite? demanda Léon. On fait un feu pour essayer de faire fondre ce coffret?

— C'est une possibilité, répondit Ning, l'air pensif, mais je crois que nous perdrons notre temps. Les instructeurs ont dû planquer les outils nécessaires sur cette île. Il ne reste plus qu'à les retrouver. Je suggère que vous vous mettiez en route sans perdre une seconde.

— Je hais Speaks et Kazakov. Je suis certain qu'ils sont en train de se payer notre poire, en ce moment même, bien au chaud, bien au sec...

# 4. Le geek et le Yankee

En théorie, les aérodromes étaient établis à l'abri du relief, sur de vastes terrains plats favorisant la mise en place de voies de dégagement.

Nichée au fond d'une vallée encaissée, la base du clan Aramov ne remplissait aucun de ces critères. La piste étroite était encadrée de hangars, de citernes de carburant et de carcasses de vieux appareils militaires. À l'approche comme au décollage, les pilotes devaient s'engager au milieu d'un défilé de trois cents mètres de large, sous peine de heurter de plein fouet les montagnes environnantes.

Mais cette ancienne base aérienne soviétique avait un avantage crucial : les pics perpétuellement couronnés d'une épaisse couche nuageuse la mettaient à l'abri des radars et des satellites militaires.

Dans les années 1970 et 1980, les bombardiers et les avions espions pouvaient y effectuer des rotations en toute discrétion, sans que la Chine et les États-Unis n'en sachent rien. Trente ans plus tard, c'est de ce site idéal que le clan Aramov menait ses opérations illégales.

Le Kremlin était une monstruosité architecturale bâtie dans le plus pur style soviétique : six étages de béton préfabriqué plantés à cinq cents mètres de la piste. Chaque fois qu'un avion-cargo prenait son envol, la faucille et le marteau de bronze dressés sur le toit, chahutés par les turbulences, provoquaient un vacarme infernal.

Lorsque les enfants débarquèrent du car, les deux gardes armés de kalachnikovs en faction devant la porte s'écartèrent pour les laisser entrer dans le hall.

Ethan et Natalka foulèrent les dalles de moquette orange usée jusqu'à la corde et traversèrent le bar désert où clignotait une machine à sous.

— Tu veux passer dans ma chambre, un peu plus tard? demanda Ethan. J'ai acheté une tonne de DVD au bazar Dordoï, samedi dernier.

— Peut-être, lâcha Natalka, sans grand enthousiasme.

Ethan tâcha tant bien que mal de dissimuler sa déception.

Natalka emprunta l'escalier pour rejoindre le studio du premier étage qu'elle partageait avec sa mère. Tous les membres de la famille Aramov vivaient au sixième. Ethan se précipita vers l'ascenseur où l'attendait son cousin André, un doigt posé sur le bouton *stop*.

— Merci, dit-il en entrant dans la cabine délabrée dont deux ampoules sur trois avaient rendu l'âme.

— Natalka est une grosse vache, dit André. Et elle ne sortira jamais avec toi. Elle préfère les vieux.

— On est juste amis, répliqua Ethan. Qu'est-ce qui te fait penser qu'elle me plaît?

André enfonça le bouton du sixième étage puis, constatant que les portes refusaient de se fermer, leur administra un puissant coup de pied.

— Décidément, tout fout le camp dans cette baraque, soupira Ethan.

À cet instant, Boris et Alex se glissèrent à leur tour dans l'ascenseur, cannette de bière à la main.

— Regardez qui voilà! lança ce dernier d'une voix pâteuse. Mon petit frère le geek et son copain le Yankee.

Boris éclata de rire.

— Je parie qu'ils sont pressés de se retrouver seuls pour faire un gros câlin.

— Montrez-nous comment vous faites, bredouilla Alex tandis que la cabine entamait son ascension.

— Qu'on vous montre quoi ? s'étrangla Ethan, en s'efforçant de dissimuler la peur que lui inspiraient les deux brutes.

— Embrassez-vous, précisa Alex.

Il saisit Ethan et André par le col puis approcha leurs visages l'un de l'autre.

— Je ne suis pas homo ! protesta son petit frère. Fous-moi la paix !

— Et sinon ?

— Je dirai à Grand-mère que tu as massacré le vendeur de kébabs. Ce pauvre gars ne faisait rien de mal.

— Il nous a arnaqués, ce matin, expliqua Boris. On lui a filé un billet de cinquante soms, mais il nous a rendu la monnaie sur vingt.

— Et il a osé nous traiter de voleurs, ajouta Alex avant de lâcher Ethan et André. Je suis certain qu'il regrette de nous avoir manqué de respect.

— Il peut s'estimer heureux qu'on n'ait pas foutu le feu à ses vêtements, gloussa Boris avant de siffler une gorgée de bière.

La cabine s'immobilisa. Alex écarta les portes à la force des bras.

— À plus tard, les geeks ! lança Alex avant de détaler sur le palier du sixième étage.

Avant de se lancer à sa poursuite, Boris administra à Ethan un solide coup d'épaule. Ce dernier se cogna le coude contre le cendrier de la cabine et grimaça de douleur.

— Tes frères sont des psychopathes, gémit-il.

— Tout va bien ? demanda André, frappé par la pâleur de son cousin. C'est le bras sur lequel la voiture a roulé, quand tu as eu ton accident ?

Les lèvres serrées, Ethan hocha la tête.

— Bon sang, il faut qu'ils se calment, ou tout ça finira par mal tourner. Quand je pense à ce qu'ils ont fait à ce pauvre Kirghiz… Je n'arrive pas à le croire. J'aimerais pouvoir faire quelque chose pour lui.

— Il doit se cacher, à l'heure qu'il est.

— Je vais rendre visite à Grand-mère. Tu m'accompagnes ?

Ethan se sentait profondément mal à l'aise lorsqu'il se trouvait en présence de la vieille dame rongée par le cancer, mais il avait le sens du devoir et de la famille.

Au temps de l'Union soviétique, le sixième étage abritait les quartiers des officiers. C'était un alignement de studios rigoureusement identiques disposant d'une kitchenette et d'une salle de bains à la plomberie capricieuse.

En dépit de leur fortune, les Aramov avaient un sens particulier de la décoration. Le couloir qui desservait les chambres était tapissé d'une épaisse moquette vert pomme. Les murs étaient ornés de tableaux aux couleurs criardes et de photos où les membres du clan figuraient en compagnie de politiciens, de célébrités et de représentants de familles royales européennes. Le clou de cette collection était un cliché d'Irena Aramov posant en compagnie d'un général de l'armée américaine le jour de la signature d'un important contrat de transport d'armes à destination de l'Irak.

Mais la famille avait aussi beaucoup d'ennemis. Les studios disposaient de portes blindées et de fenêtres équipées de grilles à l'épreuve des bombes. Au bout du couloir, un toboggan gonflable semblable à ceux des avions de ligne permettait de rejoindre un bunker antinucléaire aménagé au sous-sol.

En tant que chef du clan, Irena occupait un appartement composé de trois chambres dont les murs de séparation avaient été abattus. Une porte coulissante donnait accès à une terrasse orientée vers la base aérienne. Les garçons la trouvèrent étendue sur un sofa de cuir blanc, entourée d'une collection de vases et de bibelots. Un immense écran de télévision diffusait un feuilleton chinois.

L'âge d'Irena était un mystère, mais elle se battait contre un cancer du poumon depuis plus de deux ans. Elle était maigre à faire peur. Une aiguille plantée dans son bras était reliée par un tube flexible à une poche de transfusion. Une bouteille d'oxygène était posée à son chevet. Pourtant, en dépit des apparences, celle qui avait transformé un modeste réseau de contrebande en l'un des plus riches empires criminels de la planète avait conservé toute sa lucidité. À cet effet, elle avait toujours refusé qu'on lui administre les soins palliatifs qui auraient pu apaiser ses souffrances.

— Mes enfants ! s'exclama-t-elle.

Elle se tourna vers l'infirmière chinoise qui veillait sur elle depuis que la maladie s'était déclarée.

— Yang, mon petit, servez-leur du lait et des biscuits au chocolat. Les meilleurs. Ceux de Dubaï.

Elle réduisit le volume de la télévision puis se redressa avec difficulté.

— Alors, comment allez-vous ? Avez-vous passé une bonne journée ?

— Les cours, tu sais ce que c'est, répondit André en haussant les épaules. Tu as l'air en meilleure forme. Je suis content que tu aies pu quitter ton lit.

Irena esquissa un sourire. Les deux garçons s'installèrent dans les fauteuils placés devant le canapé. L'infirmière déposa un plateau de gâteaux sur la table basse.

— Pour être honnête, je me suis rarement sentie aussi mal, dit-elle. Mais j'apprécie ta gentillesse, mon petit André. Décidément, tu ne ressembles pas à ton père…

— Vous vous êtes encore disputés ?

Irena gifla le coussin de cuir posé à ses côtés.

— À ma mort, Leonid prendra le commandement de la famille, mais ce jour n'est pas encore arrivé.

— Tu nous enterreras tous, sourit André.

— Oh, des flatteries! gloussa la vieille dame. Quelque chose me dit que tu as un service à me demander.

André avait grandi auprès de sa grand-mère. Il appréciait son humour et son intelligence. Ethan, lui, n'avait fait sa connaissance qu'à son arrivée à Bichkek, quatre mois plus tôt. Il décida de grignoter quelques biscuits en attendant de pouvoir prendre congé sans paraître grossier.

— J'ai des devoirs, mentit-il quand une vingtaine de minutes se furent écoulées. Merci pour le goûter, Grand-mère.

— C'est toujours un plaisir de recevoir ta visite, Ethan, répondit Irena. Mais il me semble que tu ne te plais pas beaucoup parmi nous, je me trompe?

Ethan ne pouvait décemment avouer que le Kremlin était à ses yeux le pire trou à rats de l'univers. Il se contenta de hausser les épaules et de marmonner:

— Disons que ça me fait un sacré changement.

Irena haussa un sourcil.

— En effet, le Kirghizstan n'est pas la Californie, pouffa-t-elle. Ta mère a fichu le camp dès que l'occasion s'est présentée, et je pense qu'elle ne serait pas très heureuse de savoir que tu vis dans *ce pays de sauvages*, comme elle disait. Allez, file. J'ai fait porter des papiers dans ta chambre. Je voudrais que tu y jettes un œil puis que tu me dises ce qu'ils t'inspirent.

# 5. Un enseignement d'exception

Demeurée sur la plage, Ning vida la caisse de munitions, y entassa des morceaux de bois et alluma un feu qui, l'espérait-elle, pourrait faire fondre le coffret contenant les T-shirts gris.

Daniel et Léon partirent en reconnaissance dans des directions opposées. Une demi-heure durant, ils sillonnèrent l'île à la recherche d'un outil ou de T-shirts plus faciles d'accès.

— Vous n'avez rien trouvé? demanda Ning lorsque les jumeaux regagnèrent le camp de base, la mine sombre.

— L'île doit faire une quarantaine d'hectares, expliqua Léon. Le terrain est recouvert d'arbustes et de buissons. J'ai repéré deux petites grottes, mais je n'y ai rien trouvé d'intéressant, à part des bouts de ferraille et une montagne de cartouches vides.

— Moi, je suis tombé sur un vieux bunker, dit Daniel. Il y a une mitrailleuse en pièces détachées dans un coin. Je suppose que cette île faisait partie d'un système défensif, il y a quelques années de ça.

— De mon côté, j'ai préparé un feu, conclut Ning. Il n'y a plus qu'à l'allumer. Mais si le matériau ne résiste pas, les T-shirts risquent d'être endommagés. Nous devons nous tenir prêts à les sauver des flammes.

Les garçons hochèrent la tête.

— Alors si le coffret commence à fondre, il suffira de tirer sur cette corde pour le sortir de la caisse. J'ai rempli la housse de mon sac d'eau de mer pour éteindre le feu si nécessaire.

— Mais si tu ne laisses pas fondre la boîte, on ne pourra pas récupérer les T-shirts, s'étonna Léon.

— C'est une expérience, andouille, le contredit Daniel, qui ne manquait jamais une occasion de prendre le dessus sur son frère. Si le matériau est sensible à la chaleur, on étudiera un dispositif de façon à faire fondre le coffret morceau par morceau.

— Mais le feu peut-il vraiment faire fondre le verre ? demanda-t-il.

— À la télé, j'ai vu des artisans le travailler sous forme de pâte, expliqua Ning. Cela dit, normalement, le verre est censé être moins solide qu'un galet. Le nôtre est un peu spécial.

— Il n'y a qu'à essayer, dit Daniel.

— Il vaudrait mieux que ça marche, ajouta son frère. Sinon, on est coincés.

À l'aide d'un briquet au magnésium conçu pour fonctionner dans les pires conditions d'humidité, Ning embrasa les brindilles placées sous le coffret, au fond de la boîte métallique. Le feu se propagea au bois flotté, dégageant une épaisse fumée blanche.

— Ces branches sont trop humides, s'inquiéta Daniel.

Ning souffla sur les braises et de hautes flammes ne tardèrent pas à émerger de la caisse.

— Alors, ça fond ? demanda Léon lorsque le feu se mit à crépiter pour de bon.

— Je n'y vois pas grand-chose, répondit sa coéquipière.

Daniel éprouva la solidité du coffret à l'aide d'un long bout de bois.

— Ça n'a pas l'air très efficace, dit-il.

Pendant quarante-cinq minutes, Ning et les jumeaux surveillèrent le processus sans cesser d'alimenter le brasier.

— Et merde ! gronda Daniel, constatant que le verre n'avait pas changé de consistance. Ça ne marche pas. On perd notre temps.

La mort dans l'âme, Ning se rangea à son avis. Elle tira sur la corde noircie et sortit le coffret du feu. Les trois recrues s'accroupirent autour de l'objet récalcitrant. Léon gratta la couche de suie qui s'était formée à sa surface avec la lame de son couteau de chasse.

— Intact, lâcha-t-il. Pas la moindre déformation, même sur les bords. Nous voilà revenus au point de départ. Nous devons trouver un moyen de le briser.

L'air pensif, Ning leva les yeux vers le ciel. La brume matinale s'était dissipée. En dépit des bourrasques qui balayaient le rivage, une belle journée de printemps s'annonçait.

Elle se tourna vers Léon.

— Tu es monté là-haut ? demanda-t-elle en désignant la falaise située au-delà de la plage.

— Oui. Le point culminant se trouve à une quinzaine de mètres, mais elle plonge droit dans l'océan.

— Pas d'autre hauteur surplombant des rochers ?

— Si, une paroi naturelle, de l'autre côté de l'île, mais elle ne dépasse pas huit mètres.

— Il doit pourtant y avoir une solution, et nous avons jusqu'à minuit pour la trouver.

— Oh, il va falloir régler le problème plus tôt que tu ne le crois, précisa Daniel. Il est presque onze heures. À cette latitude, la lumière commence à décliner à trois heures et demie, quatre heures grand maximum.

Léon hocha la tête avec gravité.

— Et vu que nous ne disposons pas de lampe, nous n'aurons plus qu'à déclarer forfait.

— Et la mitrailleuse ? demanda Ning.

— Je ne pense pas qu'elle soit en état de fonctionner, soupira Daniel.

— Mais ses pièces doivent être très lourdes, tu ne crois pas ?

— Si, forcément.

— Parfait. Je sais bien qu'il ne servirait à rien de jeter le coffret du sommet de la petite falaise que Léon a décrite, mais si nous le placions au pied de la paroi et lancions le canon ou la culasse depuis le sommet ?

Daniel hocha la tête.

— Ça pourrait marcher, surtout si nous plaçons quelque chose dessous.

— Là, je ne te suis pas…

— Ça nous permettrait de concentrer la force de l'impact, comme lorsqu'on frappe sur un burin avec un marteau. Il nous faudrait une pierre très solide ou un morceau de métal…

— Oh, je vois, dit Ning. C'est loin d'être idiot.

— Le seul problème, poursuivit Daniel en tendant les bras dans deux directions opposées, c'est que la falaise se trouve ici, et le bunker là-bas.

— On ne pourrait pas faire pire, sourit sa coéquipière. Et si vous voulez mon avis, je crois que ça n'a pas échappé aux instructeurs.

...

Au même instant, à cinq mille quatre cents kilomètres de là, le radio-réveil placé sur la table de nuit d'Ethan indiqua dix-sept heures.

Il occupait l'ancien studio d'un colonel de l'armée de l'air soviétique. La kitchenette et la salle de bains avaient été récemment rénovées, mais les fenêtres garnies de barreaux, le plafond fissuré et l'odeur fétide dégagée par la plomberie lui rappelaient à chaque instant qu'il se trouvait à des années-lumière de la Californie.

Tous ses motifs d'espoir résidaient désormais dans l'enveloppe cartonnée que sa grand-mère lui avait fait parvenir.

Surexcité, il étudia son contenu pour la troisième fois. Le premier document était une lettre adressée à Mme Irena Aramov par Mr Douglas Miles, consultant privé en éducation.

Il était accompagné de brochures éditées par des internats privés de Dubaï et du Bahreïn dispensant leur enseignement en langue anglaise. Sur les pages imprimées sur papier glacé, des élèves souriants posaient en uniforme, pianotaient sur des claviers d'ordinateurs ou, déguisés en laborantins, manipulaient des becs Bunsen.

Les plaquettes présentaient une vision idéalisée de la vie scolaire. Elles promettaient *un enseignement d'exception* garantissant *l'admission dans les plus grandes universités* tout en assurant *l'apprentissage des valeurs morales et des compétences qui forgeront les leaders de demain*.

Ethan n'était pas convaincu par cette propagande. Les clichés étaient éloquents : ce garçon athlétique franchissant la ligne d'en-but d'un terrain de rugby devait prendre plaisir à tourmenter les geeks dans son genre ; à en juger par sa posture, ce directeur était un poseur arrogant et rongé par l'ambition ; ces jolies filles jouant au football ne feraient jamais partie de son cercle d'amis.

Quoi qu'il en soit, tout valait mieux que de vivre dans un bloc de béton, à quelques centaines de mètres d'une piste de décollage, et de fréquenter des camarades de classe dont les semelles étaient incrustées de crottin de cheval.

Il parcourait un chapitre intitulé *une philosophie basée sur l'entraide et la camaraderie* lorsqu'on frappa à la porte.

— Qu'est-ce que c'est ? demanda-t-il, convaincu qu'André allait lui proposer une partie de Wii ou le supplier de l'aider à améliorer son anglais.

Natalka passa la tête dans l'entrebâillement.

— Tiens, sourit Ethan, je croyais que tu étais occupée.

La jeune fille haussa les épaules.

— Je m'ennuyais, alors j'ai pensé : *et si je me trouvais un gamin innocent pour me payer une bonne partie de jambes en l'air ?*

— Trop tard, s'esclaffa Ethan en ouvrant le placard où il avait empilé les DVD achetés au bazar Dordoï, quelques jours plus tôt. Je viens de faire des folies de mon corps avec deux blondes siliconées, et je suis complètement crevé.

— Tu as des clopes ? demanda sa camarade en s'emparant de l'une des brochures dépliées sur le lit.

— Tu n'as qu'à en acheter au distributeur du rez-de-chaussée.

— Je suis complètement fauchée, répliqua Natalka en étudiant le document. Eh, ces élèves ont l'air *horriblement* bien élevés. Je crois que le directeur verse de la drogue dans leur nourriture.

— C'est juste une plaquette publicitaire.

— Alors Irena a changé d'avis ?

— Il faut croire qu'elle en a marre de me voir tirer une gueule d'enterrement. Tout ce que je sais, c'est que j'ai enfin une chance de quitter ce trou à rats.

∴

Mobilisant toutes leurs forces, les recrues parvinrent à soulever le canon de la mitrailleuse. À en juger par la couche de mousse qui en recouvrait la partie la plus proche du sol, il n'avait pas bougé depuis des années.

— Reculez, bon sang ! grogna Ning, les tendons des épaules tendus à craquer.

Elle soutenait le filetage de la pièce. Daniel et Léon en portaient respectivement le centre et l'extrémité la plus étroite.

Dans la manœuvre, ils avaient délogé l'énorme araignée qui y avait trouvé refuge. L'une de ses pattes chatouilla les doigts de Léon.

— Aaargh ! hurla-t-il avant de lâcher prise et de bondir en arrière.

Déséquilibré, le tube bascula puis atterrit lourdement sur le gravier qui recouvrait le sol du bunker, manquant de peu de réduire en bouillie les orteils de ses coéquipiers.

— Qu'est-ce que tu fous ? hurla Ning en fusillant Léon du regard.

— T'es malade ou quoi ? ajouta Daniel, hors de lui.

— Là ! glapit son frère en désignant la bestiole qui, s'étant embusquée dans une touffe d'herbe, observait une immobilité absolue. Elle est énorme ! Ce doit être une tarentule ou une saloperie dans le genre. J'ai vraiment cru qu'elle allait me bouffer le bras.

Ses coéquipiers étudièrent l'araignée d'un œil perplexe.

— C'est une espèce parfaitement banale, soupira Ning.

— Pauvre abruti ! hurla Daniel au visage de son frère. Tu as failli me péter la cheville !

Sur ces mots, il le saisit par les épaules, lui fit faire demi-tour puis lui administra un solide coup de pied aux fesses.

— J'y peux rien, moi, si j'ai la trouille des araignées, gémit Léon. Et je te préviens, la prochaine fois que tu portes la main sur moi, je me vengerai.

Ning écrasa l'animal sous la semelle de sa botte.

— L'incident est clos, dit-elle. Il faut qu'on s'y remette. Vu l'épreuve qui nous attend, est-il vraiment nécessaire que vous vous comportiez comme des gamins de quatre ans ?

# 6. L'arme absolue

Ethan avait rencontré Ryan Brasker en Californie, deux mois avant le meurtre de sa mère. Dans ce court laps de temps, ce dernier lui avait sauvé la vie à deux reprises.

Lorsqu'il avait été renversé par une voiture aux environs de son collège, Ryan avait dégagé ses voies respiratoires obstruées par sa propre langue. Quelques semaines plus tard, il l'avait aidé à s'évader de la villa prise d'assaut par les tueurs.

Ethan lui vouait une reconnaissance éternelle. Depuis son départ pour le Kirghizstan, il était resté secrètement en relation avec celui qu'il appelait son ange gardien. Mais en vérité, il ignorait presque tout de Ryan Brasker.

Premièrement, ce dernier se nommait en réalité Ryan Sharma. Tout comme ses petits frères Léon et Daniel, il appartenait à l'organisation CHERUB. À l'automne précédent, en tant qu'agent opérationnel, il avait reçu l'ordre de se lier d'amitié avec Ethan et de réunir des informations concernant les relations de sa mère avec le clan Aramov.

Deuxièmement, Ryan n'avait rien d'un ange gardien. Au cours de ses manœuvres d'approche, il avait délibérément poussé une bande de voyous du collège à s'en prendre à Ethan. Le plan initial prévoyait qu'il intervienne pour lui sauver la mise et gagner ainsi sa reconnaissance. Hélas, sa cible, prise en chasse par ses tourmenteurs, avait croisé la route d'un 4x4 lancé à pleine vitesse.

Lorsque Irena Aramov avait ordonné l'exfiltration de son petit-fils, les autorités de CHERUB avaient mis un terme à la mission de Ryan. Elles l'avaient chargé de demeurer en relation avec Ethan via Facebook, Hotmail, Skype et une application permettant de jouer aux échecs en ligne.

Ce lien amical entre un agent de CHERUB et l'héritier du clan Aramov offrait aux services secrets britanniques une opportunité exceptionnelle d'infiltrer l'une des plus importantes organisations criminelles de la planète. Mais communiquer avec le Kirghizstan n'était pas chose facile : Irena avait ordonné à Ethan de rompre tout contact avec les personnes qu'il avait connues en Californie. L'absence de réseau à haut débit et la couverture GSM altérée par les montagnes qui environnaient le Kremlin jouaient en sa faveur.

Les pilotes et les mécaniciens qui travaillaient pour le clan avaient accès à deux ordinateurs branchés sur une ligne à haut débit, mais ces terminaux étaient installés dans la salle de détente du rez-de-chaussée et leur utilisation placée sous la surveillance des hommes chargés d'assurer la sécurité. Cependant, en fouinant au sixième étage, Ethan avait repéré trois ordinateurs à usage privé branchés sur une connexion par satellite.

Le premier appartenait à Josef Aramov. Fils aîné d'Irena, c'était un individu à l'intelligence limitée qui faisait office d'homme à tout faire du Kremlin.

Le deuxième se trouvait dans l'appartement de Leonid Aramov, une brute impitoyable qu'il valait mieux ne pas contrarier. En outre, Ethan le soupçonnait d'avoir commandité le meurtre de sa mère.

Le troisième ordinateur, celui de sa grand-mère, était plus facile d'accès. La vieille dame se couchait toujours aux alentours de vingt heures, puis l'infirmière sirotait quelques verres de vin en zappant sur les chaînes musicales chinoises.

Elle poussait le volume si fort qu'Ethan pouvait pénétrer dans le bureau d'Irena sans craindre d'attirer son attention.

Ce soir-là, dopé par la perspective d'intégrer une école privée au bord du golfe Persique, il était d'excellente humeur. Après avoir regardé *Délire Express* en compagnie de Natalka, il rejoignit sa chambre du sixième étage, ôta ses chaussures puis, s'étant assuré que la voie était libre, remonta furtivement le couloir menant au bureau d'Irena.

Le vieux PC était posé sur une table encombrée de corbeilles de classement et d'ouvrages édifiants comme *Internet pour les nuls*, *Windows pour les nuls* et *Excel pour les nuls*. L'accès au réseau était protégé par un mot de passe, mais ce dernier était inscrit en toutes lettres sur une note autocollante parfumée à la fraise collée sous l'écran.

De nature timide, Ethan s'était toujours senti plus à l'aise dans le monde virtuel. Privé d'ordinateur personnel depuis son arrivée au Kremlin, il prit un plaisir infini à poser une main sur la souris et à cliquer sur le *e* d'Internet Explorer. Il aurait voulu demeurer des heures dans le bureau, regarder des vidéos sur YouTube, télécharger des mp3 et participer à des jeux en ligne, comme au temps où il vivait en Californie.

Il se connecta à MSN sous son nom américain, Ethan Kitsell. Sa liste de contacts ne contenait que sept noms, dont celui de sa mère et de son meilleur ami Yannis, tous deux décédés. Sur les cinq survivants, quatre étaient des garçons rencontrés lors de tournois d'échecs. Le dernier était Ryan Brasker, dont le statut indiquait *En ligne*.

Ethan ouvrit une nouvelle fenêtre de chat et pianota fébrilement sur le clavier, mais un message apparut aussitôt.

*Ryan* – T en retard, ce soir.
*Ethan* – Dsl, j'ai maté un film avec Natalka. J'AI UNE GRANDE NOUVELLE !
*Ryan* – L ta montré ses seins ? ☺

*Ethan* — Mieux que ça ! Ma grand-mère a accepté de m'envoyer dans une école privée ! Je vais ENFIN pouvoir me barrer !

*Ryan* — Génial !

*Ethan* — On jouera aux échecs demain soir. Je ne peux pas rester longtemps en ligne. Il faut que je jette un œil aux sites de ces écoles.

*Ryan* — Au fait, tu veux toujours pirater l'ordi de ton oncle Leonid ?

*Ethan* — Bien sûr.

*Ryan* — J'ai fait des recherches sur Internet, comme tu me l'avais demandé. J'ai trouvé une petite appli qui permet de pirater un ordi à distance.

*Ethan* — Et ça marche ?

*Ryan* — On dirait. J'ai testé sur l'ordi d'Amy.

*Ethan* — Si tu trouves des photos de ta sœur à poil, je te supplie de me les envoyer ! ☺

*Ryan* — Dans tes rêves ! Bref, il suffit de copier le programme sur une clé USB et de la brancher sur l'ordi. Quelques jours plus tard, qd tu la récupéreras, tu pourras lire tout ce qui a été tapé sur le clavier et le contenu des fichiers qui ont été ouverts.

*Ethan* — Le problème, c que Leonid et mes deux cousins sont des MALADES. Si je me fais choper, je suis mort.

*Ryan* — ☹ J'ai passé des heures à faire des recherches pour toi et maintenant, tu te dégonfles !

*Ethan* — Je dois faire gaffe. Je suis sûr à 75 % que Leonid a tué ma mère et que j'y serais passé si tu n'étais pas intervenu.

*Ryan* — Tu as des indices solides ?

Ethan — Je peux rien prouver, mais c le genre de mec qui n'hésiterait pas à tuer sa sœur. Ma grand-mère a voulu confier des fonctions importantes à ma mère au sein du clan. Un mois plus tard, elle a été assassinée. Leonid ne laissera personne le doubler.

*Ryan* – Il arrive un moment où il faut agir, mec.

*Ethan* – On voit bien que tu n'es pas à ma place. Les gens qui contrarient Leonid ne font pas de vieux os.

*Ryan* – Alors tu vas rester les bras croisés ? Merde, CE MEC A SANS DOUTE TUÉ TA MÈRE. Et il essaiera de te faire la peau dès que ta grand-mère ne sera plus là pour te protéger.

*Ethan* – Merci, je suis au courant. Mais je ne suis pas sûr de trouver des preuves dans l'ordinateur de Leonid. Tu le vois inscrire la date du meurtre de ma mère dans Google Calendar ?

*Ryan* – Mais tu trouveras peut-être des mots de passe ou des avis de paiement. L'INFORMATION, C'EST L'ARME ABSOLUE ! Si tu arrives à pirater l'ordi de Leonid, tu auras toujours un coup d'avance.

*Ethan* – *SOUPIR* OK, il faut que je tente qq chose. Mon oncle Josef est un gros nul et ma mère est morte. Je suis le seul à pouvoir empêcher Leonid et ses abrutis de fils de s'emparer du pouvoir et de la fortune familiale à la mort de ma grand-mère.

*Ryan* – Tu l'as vue récemment ?

*Ethan* – Aujourd'hui, après les cours. Sa maladie est incurable, mais elle s'accroche. On dirait qu'elle a repris des forces depuis mon arrivée. Son heure n'est pas encore venue, si tu veux mon avis.

*Ryan* – Ne perds pas de temps. Il suffit que tu te procures une clé USB. Le programme fera le reste.

*Ethan* – J'ai la trouille, mais je ne peux pas rester le cul vissé sur ma chaise en attendant que Leonid m'envoie ses tueurs. J'achèterai une clé au bazar. Si j'arrive à prouver que Leonid a tué sa fille, Grand-mère fera tout pour assurer ma protection.

*Ryan* – Tu es le plus gros geek de l'univers, mec ! Je sais que tu arriveras à faire parler cet ordinateur !

*Ethan* — Bon, il faut que je te laisse. Je ne peux pas passer la nuit dans ce bureau.

*Ryan* — OK, je transférerai l'application sur un site FTP et je te filerai le lien. À demain.

*Ethan* — Merci. C cool de savoir que mon ange gardien ne m'a pas abandonné. ☺

ETHAN KITSELL s'est déconnecté.

RYAN BRASKER s'est déconnecté.

...

Au prix d'un effort surhumain, les recrues étaient parvenues à traîner le canon d'une extrémité à l'autre de l'île. En dépit de la température clémente, leurs vêtements étaient gorgés de sueur. Les paumes de leurs mains, demeurées trop longtemps serrées sur le tube couvert de rouille, étaient à vif.

Après un détour par le camp de base, Daniel posa le coffret transparent au pied de la falaise, sur une étroite bande de sable.

— Il faut faire vite, cria-t-il à l'adresse de Ning, qui se tenait huit mètres plus haut. La marée est en train de monter.

Il sortit de son sac une solide lamelle de métal trouvée dans le bunker qu'il plaça sous le coffret, en position verticale, coincée entre deux pierres. Lorsqu'il eut achevé ces préparatifs, des vagues commencèrent à lécher ses talons.

— Nous n'aurons pas de seconde chance, ajouta-t-il. Nous ne pourrons jamais remonter le canon avant que la mer ait tout recouvert.

Ning hocha la tête.

— Guide-nous, lança-t-elle en soulevant la pièce avec l'aide de Léon.

Daniel recula au bord des flots.

— Vous y êtes presque, estima-t-il. Encore un quart de pas sur la gauche.

Tandis que ses camarades ajustaient leur position, Daniel considéra le coffret. Il venait de traverser les cent jours les plus éprouvants de son existence et se sentait incapable de renouveler l'expérience. Soit l'opération en cours lui permettait de mettre la main sur un T-shirt gris, soit sa carrière à CHERUB était terminée.

— Là, je crois que c'est bon ! cria-t-il.

Ning et Léon échangèrent un signe de tête puis lâchèrent le canon. Redoutant qu'il ne rebondisse sur les rochers, Daniel s'écarta hâtivement du point d'impact en longeant le rivage. Lorsque le tube d'acier heurta sa cible, il posa le pied sur un caillou instable et perdit l'équilibre. Il plongea à plat ventre sur le sable humide et fut aussitôt englouti par une vague. Malgré le froid qui le saisit, il se releva d'un bond puis, de l'eau jusqu'à mi-mollet, inspecta les deux faces du coffret.

— En plein dans le mille ! s'exclama Léon. Alors, de quoi ça a l'air, en bas ?

Ning n'attendit pas le diagnostic de Daniel. Elle s'éloigna du sommet de la paroi, se laissa glisser sur les fesses le long d'une pente douce puis remonta la plage à toutes jambes.

Le canon avait frappé la surface de verre avec une telle violence que l'une des pierres sur laquelle Daniel l'avait posée avait été pulvérisée. Lorsque ce dernier chassa les éclats qui recouvraient le coffret, il eut l'impression de recevoir un coup de poing à l'estomac.

— Rien, s'étrangla-t-il.

— Alors ? insista Léon, gagné par l'impatience.

Tandis que Daniel reculait en secouant la tête, Ning étudia la boîte à son tour.

— Pas la moindre petite rayure ! cria-t-elle en se laissant tomber à genoux. C'est incroyable. Comment est-on censé briser ce truc ?

— C'est peut-être une fausse piste, dit Daniel en ôtant son maillot détrempé. Si ce matériau est incassable, il doit y avoir d'autres T-shirts gris planqués sur cette île.

— Mais où ça, bon Dieu ? s'agaça Ning. On a cherché partout.

Daniel consulta sa montre.

— Dans une heure, la lumière va commencer à décliner. Nous ne pouvons pas remonter le canon, mais je crois que nous ferions mieux d'emporter le coffret, au cas où il nous viendrait une autre idée.

— Il y a forcément un moyen, répéta Ning en se prenant la tête à deux mains. On ne peut pas échouer maintenant. Laisse-moi réfléchir. Par pitié, laisse-moi réfléchir...

## 7. À l'épreuve des obus

À la nuit tombée, après avoir passé une énième fois l'île au peigne fin, les trois recrues se rassemblèrent autour d'un feu, à l'endroit précis où elles avaient débarqué le matin même.

— Comment la solution a-t-elle pu nous échapper ? ruminait Ning en se réchauffant les mains. Ce devait pourtant être tellement simple...

— Au moins, on en a terminé avec le programme, dit Léon. Demain, on sera de retour au campus. On va enfin pouvoir prendre une douche chaude, se changer et s'offrir un petit déjeuner digne de ce nom.

— Et écouter les copains se foutre de notre gueule, ajouta Daniel.

— Si ça se trouve, les instructeurs ont oublié quelque chose, reprit Ning. Un outil, un indice, une instruction particulière... Sinon, c'est à n'y rien comprendre.

Alerté par un grésillement provenant de sa poche, Léon en sortit un talkie-walkie guère plus grand qu'une boîte d'allumettes.

— On a attendu votre appel toute la journée, demanda Speaks. Alors, ça y est ? Vous avez enfilé vos T-shirts gris ?

— Non monsieur, soupira Léon.

— Demande-lui s'il ne pourrait pas nous dévoiler un indice, chuchota Daniel. Après tout, on n'a plus rien à perdre.

— Je vous reçois mal, dit Speaks.

44

— Daniel demande si vous ne pourriez pas nous refiler un tuyau.

Speaks éclata de rire. Les recrues n'y auraient pas mis la main au feu, mais il leur semblait entendre Kazakov s'esclaffer en arrière-plan.

— Un indice ? répéta Speaks. Et si je vous disais de quel matériau est fait le coffret ?

— Je suppose qu'on mourrait moins bêtes, répondit Léon.

— Il s'agit de verre blindé, du même type que celui qui équipe les véhicules présidentiels, lâcha l'instructeur. Il est conçu pour résister à des températures de trois mille degrés et aux obus d'artillerie. Vous n'aviez strictement aucune chance de l'ouvrir.

— Alors il y a d'autres T-shirts cachés sur l'île, c'est ça ?

— Non. En fait, vu que nous avions perdu neuf recrues sur douze, nous ne pouvions pas nous permettre de vous voir échouer au centième jour du programme. Mais plutôt que de vous offrir la qualification sur un plateau, nous avons décidé d'éprouver jusqu'au bout votre détermination.

Abasourdis, Ning, Daniel et Léon observèrent quelques secondes de silence.

— Alors ça veut dire qu'on a réussi ? demanda ce dernier.

— Nous vous rejoindrons dans dix minutes avec un bon repas chaud et quelques bouteilles de Coca, expliqua Speaks. Vous porterez le T-shirt gris avant minuit. Fin de la transmission.

Léon glissa le talkie-walkie dans sa poche.

— J'espère qu'il ne s'agit pas encore d'une de leurs blagues tordues, dit Ning. Et si c'est le cas, je le *jure*, ces salauds d'instructeurs peuvent dire adieu à leurs bijoux de famille.

∴

La vie au Kremlin n'avait pas que des désavantages, pourvu que l'on porte le nom d'Aramov. La semaine, avant de se coucher, Ethan réglait son réveil sur sept heures vingt. À sept heures et demie, une employée déposait devant sa porte la commande passée la veille.

À sa demande, le chef avait appris à réaliser les pancakes et à faire frire le bacon à l'américaine. Depuis qu'il disposait d'un stock de sirop d'érable importé du Canada, sa cuisine était digne d'un hôtel de luxe.

Son petit déjeuner achevé, Ethan rejoignit le car scolaire stationné devant le bâtiment. À son grand déplaisir, il trouva Natalka en grande conversation avec Vladimir, un garçon âgé de seize ans dont le père mécanicien travaillait pour le clan Aramov.

La plupart des adolescents qui vivaient au Kremlin ne poursuivaient pas leur scolarité au-delà de quinze ans. Vlad ne faisait pas exception à la règle. Cependant, il empruntait fréquemment le car pour se rendre à Bichkek. Parfois, sous son influence, Natalka séchait les cours et passait la journée à traîner en ville en sa compagnie. Il n'avait guère plus de personnalité qu'un mur de briques, mais elle craquait pour ses cheveux blonds et ses muscles saillants. La façon dont elle minaudait en sa présence mettait Ethan hors de lui.

— Quelle allumeuse ! lâcha André en se plantant à ses côtés.

Il essuya un regard noir.

— Ah, au fait, mon père veut te parler, ajouta-t-il.

Ethan sentit ses tripes se serrer. Leonid Aramov n'avait pas l'habitude de convoquer les membres du clan pour prendre le thé autour d'une assiette de petits gâteaux.

— Qu'est-ce qu'il me veut ?

— J'en sais rien. Je l'ai juste entendu demander à Boris de ne pas te laisser monter dans le car.

— Il avait l'air en colère ?

— Il a *toujours* l'air en colère.

L'anxiété d'Ethan monta d'un cran lorsque son cousin Boris franchit les portes du Kremlin et remit les clés du car à Vlad.

— Tu connais le chemin ? aboya-t-il.

Le garçon hocha la tête, sauta sur le marchepied et s'installa derrière le volant. Tandis que les passagers prenaient place à bord du véhicule, Boris saisit fermement Ethan par le poignet.

— Mon père t'attend aux écuries.

Ethan pensait être conduit dans le bureau de Leonid, au sixième étage du Kremlin. Mais son oncle avait préféré le convoquer dans un endroit isolé, à plusieurs kilomètres de la base. Seul point rassurant, Boris avait évoqué ce lieu devant une vingtaine de témoins.

— Il y a un problème ? demanda Ethan tandis qu'il cheminait en compagnie de son cousin sur un sentier rocailleux.

— Avance et ferme-la, gronda Boris.

Parvenus à proximité de leur objectif, ils s'engagèrent dans la pente raide menant aux écuries. Redoutant une mauvaise chute, Ethan avançait à pas prudents. Boris, qui fermait la marche, le poussa violemment dans le dos.

— Magne-toi, connard ! hurla-t-il.

Ethan tituba vers l'avant, se cogna le coude contre un piquet de clôture puis s'étala à plat ventre dans la poussière. Boris lui porta un coup de pied dans les côtes.

— Espèce de lavette, je ne peux pas croire que le même sang coule dans nos veines, cracha-t-il avant de le saisir par le col et de le remettre brutalement sur pied. J'ai plumé des poulets plus coriaces que toi.

Ethan se traîna jusqu'à un bâtiment en forme de L flanqué d'un paddock boueux.

Les écuries accueillaient les chevaux sur lesquels les membres de la police privée du clan patrouillaient dans les collines avoisinantes à la recherche de maraudeurs, d'espions et d'éventuels dispositifs de surveillance.

Leonid Aramov trônait derrière une table, face à une large cheminée de pierre. Ethan considéra les innombrables trophées de chasse dont les murs étaient décorés puis se tourna vers son oncle. Avec son regard glacial, sa barbe de trois jours et son étroit blouson de cuir, c'était le stéréotype du gangster russe.

— Alors mon cher neveu, as-tu fini par t'habituer à ta nouvelle vie ?

— Ça va mieux, répondit Ethan, terrorisé à la pensée qu'il se trouvait en présence de l'homme qui avait ordonné la mort de sa mère.

Leonid fouilla dans le tiroir du bureau, en tira plusieurs feuilles de papier puis lui fit signe d'approcher.

— Voici les dernières factures que nous a adressées notre fournisseur d'accès Internet par satellite, expliqua-t-il en brandissant les documents. En règle générale, nous payons quatre ou cinq cents dollars par mois. Mais depuis ton arrivée, l'addition s'élève à mille six cents, mille huit cents dollars.

Ethan feignit l'étonnement.

— Mais... je n'ai pas d'ordinateur. Je ne suis même pas autorisé à surfer sur Internet.

— Ne me prends pas pour un con ! tonna Leonid en pointant l'index dans sa direction. Les PC disposant de cette connexion se trouvent tous au sixième étage. Seuls les membres de la famille y ont accès !

— Vous oubliez les employés.

— Le petit malin qui pirate notre réseau prend beaucoup de précautions pour nous cacher ce qu'il trafique. Penses-tu vraiment que l'infirmière de ma mère utiliserait un proxy et effacerait son historique avant de se déconnecter ? À en croire ces factures, tout a commencé quelques jours après ton arrivée. Et comme par hasard, je me suis laissé dire que tu étais un as de l'informatique.

— Avoue ou je t'explose, chuchota Boris à l'oreille d'Ethan.

— Très bien, j'admets que j'ai utilisé la connexion satellite, soupira ce dernier. Quel mal y a-t-il à surfer quelques minutes par jour sur Internet ? Ne vous inquiétez pas, je vous rembourserai. Ma mère m'a laissé pas mal d'argent.

Leonid se dressa d'un bond et donna un coup de poing sur son bureau.

— Je te conseille de changer de ton, mon garçon. Nous t'avons formellement interdit de communiquer avec les gens que tu as connus avant de t'installer ici. La CIA et le FBI surveillent tes comptes en ligne. Depuis la mort de ta mère et ta disparition, ils tournent autour de nous comme des vautours. À la moindre gaffe, tu pourrais compromettre tous nos investissements aux États-Unis.

— Vous me prenez pour un imbécile ? répliqua Ethan. Je ne suis plus un bébé, et j'ai conscience de la situation. Vous croyez vraiment que je raconterais ma vie à tout le monde ?

Boris lui flanqua une claque magistrale à l'arrière du crâne.

— Tu oses tenir tête à mon père ?

Leonid contourna le bureau et vint se planter devant Ethan.

— Je ne peux pas te faire confiance, alors que nous vivons sur le même palier, expliqua-t-il. Alors si tu crois que je vais te laisser prendre du bon temps dans une école de Dubaï, tu te fourres le doigt dans l'œil.

Sur ces mots, il tordit violemment l'oreille de sa victime.

— Vous ne pouvez pas m'en empêcher, gémit Ethan. Vous n'êtes pas à la tête de la famille. C'est à Irena de décider.

— Je devrais te briser les doigts, grogna Leonid. Tu ferais mieux de me témoigner un peu de respect, car ta grand-mère ne te protégera pas éternellement. Et alors…

— Et alors quoi ? lança Ethan. Vous me ferez assassiner, comme ma mère ?

— Qu'est-ce qui te fait penser que j'ai ordonné l'exécution de ta mère ?

Ethan haussa les épaules.

— Mon sens de la logique.

— Tu ne sais pas de quoi tu parles, mon garçon. Si j'avais l'intention de te faire disparaître, il me suffirait de claquer des doigts.

— Ah oui ? Alors pourquoi m'avoir convoqué ici ? La vérité, c'est qu'Irena a toujours la main mise sur le Kremlin. Vous ne pouvez pas remuer une oreille sans qu'elle soit au courant.

Leonid fit craquer ses phalanges.

— Je te conseille de ne pas répandre tes théories fumeuses. Et je t'avertis : si tu poses encore une fois tes sales pattes sur un clavier d'ordinateur, je te garantis que tu le regretteras.

Ethan secoua la tête avec mépris, tourna les talons et se dirigea vers la porte du bureau. Ulcéré par cette attitude insolente, Leonid le saisit par le cou, le plaqua à plat ventre sur le bureau puis enfonça un pouce sous son omoplate droite.

— Va chercher le tonfa, lança-t-il à l'adresse de son fils.

— Allez vous faire foutre ! hurla Ethan.

Boris fit coulisser la porte d'une armoire et en sortit une matraque d'une cinquantaine de centimètres de longueur. D'un coup sec, Leonid baissa le jean et le caleçon de sa victime, se saisit de l'arme puis lui en flanqua un coup sur les fesses.

— Nooon ! cria Ethan, en proie à une douleur indescriptible.

Hilare, Boris tira un téléphone mobile de la poche de son pantalon.

— *Cheese !* gloussa-t-il avant d'effectuer plusieurs clichés. Natalka va adorer ces photos.

Après avoir frappé à trois reprises, Leonid laissa tomber la matraque.

— Fais-toi discret et ne touche pas à un ordinateur, ordonna-t-il. Tu n'iras pas à l'école jusqu'à la fin du mois.

Tu travailleras ici, à t'occuper des chevaux et à retourner le fumier.

— Je dirai tout à Irena, sanglota Ethan. Elle veille sur moi, vous savez.

— Tu parles. Tu ne sais pas à qui tu as affaire. Vas-y, dis-lui que tu as utilisé son PC sans autorisation, pour voir. Crois-tu vraiment qu'elle te traitera mieux que moi ?

Ethan remonta son jean en silence. Il ignorait si son oncle bluffait, mais il avait entendu dire qu'Irena pouvait se montrer impitoyable envers ceux qui osaient enfreindre ses ordres.

Leonid sourit à pleines dents.

— Boris, je te charge de présenter notre ami aux garçons d'écurie. Et dis-leur bien de le garder à l'œil. Si je le surprends à glander, leur paye sera divisée par deux.

# 8. Banzai !

Les agents coupables d'infractions au règlement intérieur de CHERUB étaient condamnés à balayer les allées, à ramasser les feuilles ou à tondre les hectares de pelouse du campus, si bien que les rares visiteurs autorisés à découvrir les installations restaient frappés par leur aspect impeccable. En ce matin ensoleillé de mars, les cerisiers japonais qui bordaient l'allée menant au camp d'entraînement étaient en fleur.

— Je déteste le printemps, lâcha Amy Collins avant d'éternuer à trois reprises. Saleté de pollen.

Ancienne agent de CHERUB, elle travaillait désormais pour l'ULFT — Unité de lutte contre les facilitateurs transnationaux —, un département des services secrets américains qui s'intéressait de très près au clan Aramov. Elle avait tenu le rôle de la grande sœur de Ryan Sharma lors de la mission en Californie qui s'était achevée par la mort de Gillian Kitsell et l'exfiltration de son fils au Kirghizstan.

Ryan hocha la tête.

— J'ai transféré un programme d'espionnage informatique et diverses applications de piratage sur un site FTP, dit-il.

— Tu crois qu'Ethan aura le cran de s'en servir ?

— Difficile à dire. Ah, au fait, quand je lui ai dit que j'avais accédé au contenu de ton ordinateur, il m'a demandé si j'avais trouvé des photos de toi à poil.

— Sale petit pervers, s'esclaffa Amy. Plus sérieusement, je suis atterrée qu'Irena ait décidé d'envoyer Ethan dans une école privée de Dubaï. Comment pourra-t-il nous transmettre des informations, s'il se trouve loin du Kremlin ?

Ryan hocha pensivement la tête.

— N'y aurait-il pas un moyen de contrecarrer leurs projets ?

— Si, bien sûr, nous pourrions nous introduire dans les systèmes informatiques des établissements ou faire pression sur leurs responsables, mais si Ethan se trouvait exclu de toutes les écoles de langue anglaise du Moyen-Orient, Irena nourrirait forcément des soupçons.

— À vrai dire, vu tout ce qu'il a traversé, je pense qu'il mériterait bien de se poser dans un endroit tranquille.

— Et toi ? Tu t'es remis de l'échec de la mission ?

— Plus ou moins. Passer mon temps à échanger des messages, chatter sur MSN et disputer des parties d'échecs en ligne est plutôt frustrant. Il me tarde de participer à une véritable opération.

— Bref, tu veux te barrer du campus.

— On ne peut rien te cacher, confirma Ryan. La direction m'a chargé de quelques missions d'un jour ou deux, et je me suis éclaté. Je ne devrais pas t'en parler, mais le mois dernier, Alfie et moi, on est allés à Liverpool, et...

— Stop, lâcha Amy en levant les mains. Je ne veux rien savoir. Tu connais les règles de sécurité auxquelles nous sommes soumis, et je n'entends pas y déroger.

Ryan fronça les sourcils.

— Ne fais pas la tête, insista sa coéquipière. Tu as de la chance que je fasse partie de l'ULFT. Si tu avais osé évoquer une opération en présence d'un membre de CHERUB, tu aurais récolté une sévère punition.

— OK, je comprends, sourit Ryan. N'en parlons plus. Alors, dis-moi, aurais-tu quelques photos de toi en petite tenue, histoire de prouver à Ethan que le programme de piratage fonctionne correctement ?

Avant même qu'Amy ait pu répondre à cette provocation, un hurlement suraigu se fit entendre.

— Banzai ! hurla un petit garçon perché sur une branche, au-dessus de leur tête.

Un instant plus tard, il atterrit sur le dos de Ryan. Ce dernier tituba vers l'avant mais parvint à conserver l'équilibre.

— Nom de Dieu, Théo ! protesta-t-il tandis que son petit frère, son forfait accompli, prenait prudemment ses distances.

Vêtu d'un kimono bleu, l'enfant avait noué une ceinture de peignoir autour de son front.

— Je t'ai bien eu ! gloussa-t-il. Tu as eu la trouille de ta vie !

Théo ressemblait étonnamment à Ryan. Mêmes cheveux bruns, même teint mat. Cependant, si son aîné était toujours resté mince, il accusait quelques kilos de trop.

— Si tu pouvais arrêter de te donner en spectacle... grogna Ryan, qui s'efforçait de se comporter comme un père de substitution chaque fois que ses frères franchissaient la ligne jaune.

Mais Théo, sourd à cette remontrance, fonça tête baissée vers son abdomen.

En désespoir de cause, Ryan l'intercepta, le souleva de terre, lui chatouilla sauvagement les côtes, le laissa tomber au bord du chemin puis posa un pied sur son ventre en prenant soin de ne pas exercer trop de pression.

— Sale brute ! gronda l'enfant. Attends un peu que je grandisse !

— Si je te laisse partir, est-ce que tu promets de te comporter raisonnablement ?

— Tu peux toujours rêver ! lança Théo.

Ryan agita les doigts de façon menaçante.

— OK, OK, je me tiendrai tranquille, gémit l'enfant.

— Je te présente Amy.

— Bonjour Amy, dit mécaniquement Théo. Je suis ravi de faire ta connaissance.

— Mmmh, il y a comme un air de famille, répondit la jeune femme.

— On ne se ressemble pas du tout, protesta le petit garçon. Lui, il est moche et il pue.

— Je le connais par cœur, dit Ryan en saisissant son frère par le cou. Il fait son petit malin parce qu'il te trouve à son goût.

— Mais tais-toi! glapit l'enfant. C'est toi qui es amoureux d'Amy, pas moi!

— Euh… Dis-moi, tu n'es pas censé être en cours?

— Je dois retrouver Léon et Daniel. Ils viennent de terminer le programme d'entraînement.

— Je croyais que tu ne pouvais plus les sentir.

— Ils me filent des coups de main pour les devoirs de maths. Et en fait, je les aime bien, sauf qu'ils ne font rien qu'à m'embêter.

Tandis que le trio se dirigeait vers le camp d'entraînement, Théo continua à se comporter comme un pur dément, se jetant dans les buissons et faisant mine de s'étrangler avec la ceinture de peignoir.

Subjuguée par ce spectacle, Amy lâcha un éclat de rire.

— Ton frère est *adorable,* dit-elle.

Ryan haussa un sourcil.

— Peut-être, mais à petites doses. Je pense que tu réviserais ton jugement si tu l'avais vu sauter sur ton lit pendant trois heures sans se fatiguer.

Théo sprinta en direction du camp d'entraînement, mais se heurta à un portail clos.

— Eh, les guignols! cria Théo lorsque Léon et Daniel déboulèrent enfin du cube de béton où le dortoir était aménagé, Ning dans leur sillage.

Avant de les relâcher, les instructeurs avaient exigé qu'ils nettoient les lieux et trient leur matériel afin qu'il puisse être mis à disposition des futures recrues.

Vêtus d'un T-shirt gris, d'un pantalon de treillis flambant neuf et de rangers parfaitement cirées, ils avaient reçu la permission de conserver leur T-shirt bleu ciel en souvenir des cent jours de souffrance qu'ils venaient d'endurer.

Léon couvrit le visage de son petit frère de sa relique. Théo se débarrassa du T-shirt et serra ses frères dans ses bras.

Ryan avait rarement eu l'occasion d'être fier de Léon et Daniel, mais il versa une larme en les étreignant à son tour. Il pensa à sa défunte mère, à la joie qu'elle aurait éprouvée en les voyant chahuter joyeusement au beau milieu de la campagne anglaise.

— Je n'arrive pas à croire que cette session n'ait accouché que de trois agents, et que vous en fassiez partie, dit-il.

Daniel se tourna vers Théo.

— Dans environ deux ans, tu devras y passer. À ta place, je crèverais de trouille.

— Je n'ai peur de rien, répliqua le petit garçon.

À quelques mètres de là, Amy congratulait chaleureusement Ning. En dépit de ces démonstrations d'affection, cette dernière affichait sa mine des mauvais jours.

— Avant, expliqua Ryan, tous les agents étaient autorisés à sécher les cours au retour des recrues. Maintenant, seuls les proches bénéficient de cette faveur. Grace, Chloé et tes copines t'attendront au réfectoire à l'heure du déjeuner.

— Cool, lâcha Ning.

— Et maintenant, le grand moment est arrivé, annonça son camarade en tirant de sa poche un trousseau de clés. L'heure est venue de découvrir ta nouvelle chambre !

...

— Eh, tu es là ? demanda Natalka en frappant une troisième fois à la porte d'Ethan.

D'ordinaire, ce dernier adorait entendre la voix de sa meilleure amie, mais ses fesses lui causaient une telle douleur qu'il était incapable de passer un pantalon. Ses joues ruisselaient de larmes.

— Je suis malade, bégaya-t-il. C'est sans doute contagieux. Tu ferais mieux de te tirer.

— J'ai vu Boris te débarquer devant l'immeuble, dit Natalka avant de tourner la poignée et de passer la tête dans l'entre-bâillement. Leonid t'a passé à tabac, c'est ça ?

— Fous-moi la paix, gémit Ethan.

La pièce était plongée dans l'obscurité, mais à la lueur de la pleine lune qui filtrait entre les barreaux, Natalka vit son camarade rassembler hâtivement sa couette contre son bas-ventre.

— Wouf ! dit-elle. Ça sent le fauve là-dedans.

— Casse-toi, renifla Ethan.

Natalka fit la sourde oreille et s'assit sur le lit.

— Sans blague, il t'a battu ?

— Il m'a foutu des coups de matraque sur les fesses. Elles sont couvertes de bleus. Il m'a forcé à bosser aux écuries toute la journée et j'ai hérité des pires corvées. Je ne retournerai pas à l'école avant un mois.

— La vache. Pourquoi il t'en veut à ce point ?

— Il a découvert que je surfais sur Internet.

— Tu veux dire… quand on va au web café du bazar ?

— Non, ici. Je me suis servi de l'ordinateur d'Irena. Je n'avais pas le droit. Ils ont peur que les Américains retrouvent ma trace. En plus, je ne serai sans doute pas autorisé à partir pour Dubaï.

— Merde ! lâcha Natalka. Tu en as parlé à ta grand-mère ?

— Leonid l'a déjà tenue au courant. Elle est furieuse. J'ai été convoqué dans sa chambre, et je me suis pris une gueulante de première. Elle a dit que je pouvais m'estimer heureux de n'avoir reçu que trois coups de matraque. Qu'il était temps que je me comporte comme un homme et non comme un enfant gâté.

— S'il y a quelque chose que je peux faire pour t'aider… soupira Natalka.

— Tu n'imagines même pas à quel point je déteste cet endroit. J'aurais préféré mourir en même temps que ma mère.

— Oh, par pitié, arrête de te lamenter. Franchement, à quoi ça t'avance ?

— Sors de cette chambre, sanglota Ethan.

— Eh bien vas-y. Essaye un peu de me pousser dehors.

Son camarade la fusilla du regard.

— Alors, tu es comme les autres. Tu as décidé de me pourrir la vie, toi aussi.

— Nom de Dieu, Ethan ! Reprends-toi. Ta mère est morte, ta grand-mère n'en a plus pour longtemps et Leonid a fait de toi son souffre-douleur. Je sais bien que tu es bouleversé, mais il faut te battre, mon pote ! Je ne supporte pas ceux qui se comportent en victimes.

— À partir de maintenant, si je sors des clous, Leonid et ses fils m'écraseront comme un insecte.

— Écoute, je suis passée voir si tu allais bien et si tu avais besoin d'un coup de main. Mais je ne peux pas aider quelqu'un qui a renoncé à lutter, alors je ferais mieux de descendre au bar. Avec un peu de chance, Vlad essaiera de me soûler, et je pourrai m'envoyer quelques verres à l'œil.

Ethan esquissa un sourire.

— Comment peux-tu supporter cet abruti ?

— Tu ne voudrais quand même pas me priver de mon jouet préféré ? s'esclaffa Natalka.

Ethan ouvrit le tiroir de sa table de nuit et en tira six billets de mille soms.

— Qu'est-ce que tu dirais de sécher les cours et de l'emmener traîner au bazar ? demanda-t-il. Et comme tu m'as proposé ton aide, tu en profiteras pour me rapporter une clé USB seize ou trente-deux gigas, la plus discrète que tu trouveras. Ensuite, tu iras au web café et tu téléchargeras un fichier pour moi.

Natalka lui lança un regard suspicieux.

— Qu'est-ce que tu comptes en faire, de cette clé ? Tu n'as même pas d'ordinateur.

— Il vaut mieux que tu n'en saches pas davantage. Tu pourras garder la monnaie, te payer des clopes et fumer jusqu'à ce que mort s'ensuive. Et investis dans une boîte de capotes. Je ne voudrais pas qu'il arrive un accident, avec l'orang-outang que tu te trimballes.

— Je te conseille de baisser d'un ton, minus, avertit Natalka. Bon, je vais voir ce que je peux faire pour toi...

## 9. Quartier libre

Comme toutes les recrues de retour du programme d'initiation, les trois T-shirts gris bénéficièrent d'une semaine de repos. Pendant quarante-huit heures, Ning se contenta d'effectuer des allers-retours entre le réfectoire et sa chambre, où elle passa le plus clair de son temps à dormir ou à se détendre dans son bain. Au troisième jour de congé, ayant retrouvé un peu d'énergie, elle sentit l'ennui la gagner.

À l'exception de Daniel et Léon, les agents qui n'étaient pas en mission se trouvaient en cours, et elle n'avait aucune envie de traîner avec ses coéquipiers, ce souvenir vivant des cent jours éprouvants qu'elle venait de vivre. Le vendredi soir, elle put enfin retrouver ses amies à l'occasion d'une fête organisée dans le couloir du sixième étage. Le lendemain, elle se leva tôt afin d'embarquer à bord d'un bus bondé de garçons et de filles qui s'étaient inscrits pour une excursion à Londres.

— Ce sera une journée quartier libre, annonça fermement Meryl Spencer, la responsable de formation, tandis que le chauffeur se rangeait dans un parking réservé aux véhicules touristiques près de la gare de St Pancras. Ça signifie que vous pourrez faire ce que bon vous semble, pourvu que ce soit légal. Mais j'insiste pour que vous restiez par deux, au minimum. On se retrouve ici à dix-huit heures. Les retardataires écoperont d'une amende d'une livre par minute. Est-ce que tout le monde a bien compris mes consignes ?

— Oui, mademoiselle ! répondirent en chœur les agents, à l'exception de deux olibrius qui lancèrent des cris d'animaux de basse-cour.

Lorsque le chauffeur enfonça le bouton commandant l'ouverture des portes, Meryl manqua d'être renversée par le flot d'agents qui se rua hors du véhicule.

Lorsqu'elle put enfin rejoindre le trottoir, elle rassembla les plus jeunes résidents à qui elle avait promis de faire découvrir le London Eye, la grande roue dressée au bord de la Tamise. La plupart des adolescents avaient prévu de s'offrir une séance de cinéma à Leicester Square ou d'écumer les magasins d'Oxford Street. Ning était impatiente de dépenser l'argent de poche accumulé pendant son absence du campus. Accompagnée de Grace et Chloé, deux camarades qui, comme elle, aimaient apporter une petite touche punk à leur tenue vestimentaire, elle avait décidé de se rendre au marché aux puces de Camden.

Avec ses cheveux blonds et sa silhouette élancée, Chloé, douze ans, faisait des ravages parmi les garçons de CHERUB. Grace était un peu plus petite. Son visage constellé de taches de rousseur était encadré par de longs cheveux ondulés. Les deux jeunes filles étaient amies depuis le jour où elles avaient enfilé leur premier T-shirt rouge. Elles avaient pris Ning sous leur aile dès son arrivée au campus.

Elles eurent la surprise de voir Ryan, Max et Alfie débouler dans la rame de métro où elles avaient pris place, une fraction de seconde avant que les portes ne se referment.

— Salut, les boudins ! lança joyeusement Max.

— Qu'est-ce que vous foutez là ? demanda Grace.

— Il faut croire qu'on va au même endroit.

Si Ning éprouvait de l'affection pour Ryan, Grace et Chloé manifestèrent ostensiblement leur mécontentement.

— Vous n'allez pas nous coller le train, j'espère ? grogna cette dernière.

— On va faire le tour des boutiques de fringues, ajouta Grace. Ning a besoin d'être relookée.

— Je ne suis jamais allé à Camden, dit Alfie, qui s'exprimait avec un fort accent français. Il paraît que c'est l'endroit idéal où acheter un blouson de cuir. Vous avez de bonnes adresses ?

— Possible, répondit Chloé de mauvaise grâce. On pourrait te filer un tuyau.

— Mais seulement si vous payez votre tournée de Frappuccinos chez Starbucks, gloussa Grace.

Ils descendirent deux stations plus loin puis longèrent les stands alignés le long de Regent's Canal. À leur grand étonnement, Grace et Chloé trouvèrent la compagnie des garçons plutôt agréable. Ryan et Max s'offrirent des T-shirts. Alfie essaya six blousons de cuir sans parvenir à se décider. Ning fit l'acquisition d'une paire de tennis, de produits de toilette et de posters destinés à égayer les murs de sa nouvelle chambre.

Aux alentours de midi, l'affluence se fit si importante que la foule dut investir la chaussée. Devant le Starbucks, la file d'attente s'étirait jusqu'au trottoir. Les agents préférèrent s'aventurer dans une allée latérale où étaient rassemblés des stands de restauration proposant des spécialités exotiques.

Ning, qui avait quitté son pays d'origine six mois plus tôt, s'étonna d'y trouver un étal d'authentiques préparations chinoises. Elle discuta en mandarin avec la vendeuse puis encouragea ses camarades un peu anxieux à goûter aux nouilles, aux produits de la mer et aux beignets présentés dans les vitrines réfrigérées.

Max préféra se diriger vers la camionnette à hot-dogs la plus proche, mais Alfie, Grace et Chloé finirent par se laisser tenter. Ils commandèrent des portions en suivant les indications de leur amie, puis fendirent la foule à la recherche d'un endroit où s'asseoir.

— Mais goûte, au moins ! lança Chloé en brandissant une brochette de crevettes sous le nez de Max.

— Hors de ma vue ! glapit Max. Ces machins exotiques me donnent envie de vomir.

Chloé leva les yeux au ciel.

— Qu'est-ce qu'il ne faut pas entendre... Tu as conscience que la saucisse que tu es en train de t'envoyer est sans doute composée d'yeux de vache et de testicules de mouton ?

Tandis que ses camarades partaient d'un grand éclat de rire, Ryan se pencha au-dessus du parapet et remarqua plusieurs adolescents assis au bord du canal, les jambes dans le vide.

— Allons par là, dit-il. Je n'arrive pas à me servir de mes baguettes en marchant.

Lorsqu'ils se furent installés, Ryan plaça sa barquette entre ses cuisses, sortit son BlackBerry de la poche ventrale de son sweat-shirt et composa un code à quatre chiffres. Cette opération lui permit d'accéder à la configuration réservée aux appels et aux SMS émis et reçus sous l'identité de Ryan Brasker.

— Tu n'arrêtes pas de regarder ton téléphone, fit observer Chloé. Ta petite copine ne répond plus à tes messages ?

— Voilà une fille pleine de bon sens, ajouta Grace.

Grace et Ryan avaient eu une brève histoire sentimentale, six mois plus tôt. L'affaire s'était terminée par le jet d'un plat de macaronis au fromage, et leurs relations restaient plutôt tendues.

— Ce n'est pas le moment de plaisanter, dit Alfie sur un ton faussement sérieux. Il est en pleine opération.

Max éclata de rire. Ryan se connecta au compte Facebook de Ryan Brasker et étudia le mur d'Ethan, dont il n'avait reçu aucune nouvelle depuis quatre jours.

— C'est une mission virtuelle, expliqua Alfie. Pendant que nous autres, les hommes, les vrais, nous traquons les criminels au péril de notre vie, Ryan pianote sur son BlackBerry.

Ryan, qui essuyait ces moqueries depuis son retour de Californie, se connecta à MSN pour s'assurer qu'Ethan n'avait pas essayé de le contacter.

— Ah, parce que tu es un homme, toi ? lança Chloé. Pour être honnête, Alfie, je t'ai aperçu sous la douche, après l'entraînement. Je ne savais pas que les hommes, *les vrais*, avaient de la brioche et un appareil génital de la taille d'un Jelly Bean.

Max fut saisi d'un tel éclat de rire qu'il faillit lâcher ses frites dans le canal.

— Tout ce que je sais, répliqua Alfie, profondément vexé, c'est que j'ai un an de moins que vous tous, à part Ning, et que j'ai participé à trois missions importantes. Je suis certain que j'obtiendrai le T-shirt bleu marine avant vous.

— OK, je te parie un paquet de Jelly Beans, lâcha Grace avant de terminer sa cannette de Dr Pepper.

Max s'esclaffa de plus belle.

— Attends, ce serait pas une allusion sexuelle, ça ? Alfie, mon pote, je crois que tu as une touche.

— Désolé, mais je suis déjà pris, dit ce dernier. Et Doris, mon yucca, me tuerait si elle apprenait que je la trompe.

Soudain, Ning remarqua l'expression préoccupée de Ryan.

— Est-ce que tout va bien ? demanda-t-elle.

— Pas vraiment, répondit son camarade en replaçant le téléphone dans sa poche. Mais ne t'inquiète pas. On est là pour s'amuser et je n'ai pas l'intention de gâcher cette belle journée.

Max, Grace et Alfie se lancèrent dans un concert de rots tonitruants. Chloé afficha une moue dégoûtée.

— Vous êtes vraiment des animaux, dit Ryan. Tellement immatures.

Sur ces mots, il éructa à son tour.

— Absolument écœurant, marmonna une vieille dame qui passait à leur hauteur.

— *Absolument écœurant*, répéta Grace, adoptant le ton pincé de l'inconnue.

À cet instant, quatre skinheads sortirent d'un pub voisin et dévalèrent l'escalier menant au quai. Deux d'entre eux portaient le maillot de Manchester United. L'un d'eux porta une pinte de bière à ses lèvres, la vida d'un trait puis jeta le verre dans le canal. Le projectile frôla le visage d'un enfant d'environ cinq ans qui se promenait en compagnie de son père et produisit des éclaboussures qui atteignirent le jean de Chloé.

— Eh, faites un peu attention ! lança cette dernière.

Instinctivement, le père de famille se tourna vers l'homme qui avait failli blesser son fils. Lorsqu'il découvrit à qui il avait affaire, il baissa timidement les yeux.

— T'as un problème ? bredouilla le skinhead, manifestement ivre. Tu veux que je te défonce la gueule ?

Le petit garçon saisit la main de son père. Sa lèvre inférieure se mit à trembler.

— Tu es sourd ou débile ? poursuivit la brute, avant de se tourner vers ses complices. Eh les mecs, regardez un peu ce morveux. Je crois qu'il va chier dans son froc.

Les nombreux promeneurs qui se pressaient sur le quai passèrent leur chemin. Ceux qui se détendaient au bord de l'eau quittèrent précipitamment les lieux.

— Je parie que c'est un supporter d'Arsenal, gloussa le plus jeune des quatre skinheads. Tous des dégonflés.

Grace, la plus menue des six agents, se dressa d'un bond et vint se planter devant l'individu qui avait jeté le verre.

— Ne te mêle pas de ça, chuchota Chloé. Ce n'est pas une bonne idée.

— Alors comme ça, tu t'en prends à un gamin deux fois plus petit que toi ? lança Grace, sourde à cette recommandation. Et tu as trois potes pour te filer un coup de main, au cas où. C'est vraiment très impressionnant.

Le skinhead se tourna dans sa direction et lui adressa un geste vague de la main.

— Toi, ferme-la, et occupe-toi de ce qui te regarde.

Les cinq compagnons de Grace se levèrent puis formèrent un demi-cercle derrière elle.

— Arsenal est la meilleure équipe de l'univers, dit Alfie sans chercher à dissimuler son accent. Sans doute parce que l'entraîneur est français.

L'ivrogne au crâne rasé s'empourpra.

— C'est quoi votre problème, les mioches? Vous tenez absolument à finir dans le canal?

Le père de famille profita de cette diversion pour prendre son fils dans ses bras et se diriger vers l'escalier, mais deux skinheads lui bloquèrent le passage puis le poussèrent en direction du canal.

Grace fusilla son interlocuteur du regard.

— Si vous ne vous calmez pas immédiatement, je vous garantis que vous le regretterez, gronda-t-elle.

Le voyou éclata de rire. Ryan chercha du regard deux policiers aperçus un peu plus tôt, à proximité du Starbucks. L'un des agresseurs cracha au visage du père. Le petit garçon se mit à hurler. Ils ne se trouvaient qu'à quelques centimètres du canal. Redoutant qu'ils ne tombent à l'eau, Grace se décida à intervenir.

Si elle avait obtenu la ceinture noire de karaté durant sa formation à CHERUB et maîtrisait des techniques empruntées à différents arts martiaux, elle savait qu'un combat au corps à corps contre un adversaire largement supérieur en poids n'était jamais gagné d'avance. Aussi décida-t-elle d'appliquer une stratégie peu orthodoxe.

Elle glissa une main dans sa poche, en tira l'un des sachets de sauce pimentée que lui avait remis la vendeuse du stand de nourriture chinoise, en déchira l'un des angles et le pressa devant le visage du skinhead.

Ce dernier porta les mains à ses yeux puis tituba en arrière. Grace le saisit par les épaules, lui imprima une poussée latérale et le précipita dans le canal.

La manœuvre n'avait pas duré plus de trois secondes. Sidérées, les trois brutes encore en état de se battre marquèrent un instant d'hésitation. Alfie, le plus lourd et le plus puissant des agents, fonça tête baissée dans l'abdomen de l'adversaire le plus proche.

Max se rua sur le plus jeune membre de la bande et lui administra un coup de pied circulaire en pleine tête. L'individu perdit instantanément connaissance et se cogna violemment le crâne contre une borne de béton.

Les passants ne pouvaient plus faire semblant d'ignorer le pugilat. Plusieurs d'entre eux s'arrêtèrent pour observer la scène.

Ryan se rua vers le dernier skinhead valide, l'étourdit d'un crochet à la tempe, le saisit par la nuque puis lui brisa la mâchoire d'un coup de genou. Ning, elle, écrasait consciencieusement les doigts de l'homme qui était tombé à l'eau pour l'empêcher de remonter sur le quai.

— Tirons-nous d'ici ! cria Chloé, la seule à ne pas avoir participé à la bagarre.

Lorsqu'elle se tourna pour ramasser les sacs de ses amis, elle vit trois policiers en uniforme descendre les marches quatre à quatre.

— C'est maintenant qu'ils se décident à intervenir, soupira Ryan.

S'il était convaincu d'avoir fait œuvre de salubrité publique en corrigeant les quatre fauteurs de troubles, il doutait que les nouveaux venus partagent son point de vue. En outre, si les autorités de CHERUB apprenaient que cinq de leurs agents avaient été arrêtés à la suite d'une altercation avec une bande de skinheads dans une rue commerciale bondée, une pluie de punitions s'abattrait sur les coupables.

— N'oublie pas mes nouvelles chaussures ! cria Ning à l'adresse de Chloé avant de se mettre à courir, ses camarades dans son sillage.

# 10. Au point mort

— Ça va mieux, tes fesses ? demanda Natalka.

Étendu sur son lit, Ethan ne détacha pas les yeux du plafond.

— Oui, d'une certaine façon, gémit-il. L'avantage, c'est que j'ai mal partout, maintenant. J'ai passé cinq heures à remplir des sacs de fumier. Ensuite, j'ai dû les charger dans un camion. En plus, chaque fois que j'essayais de m'accorder une pause, les garçons d'écurie me hurlaient dessus, vu que Leonid a menacé de réduire leur salaire s'ils me surprenaient à glander.

— Tiens, voilà de quoi te redonner le moral, dit Natalka en brandissant une minuscule clé USB noire. Trente-deux gigas. Comme tu vois, on pourrait difficilement faire plus discret.

Au moment où Ethan tendit la main pour s'en saisir, Natalka la plaça hors de sa portée.

— Quand tu as dit que tu utilisais l'ordinateur d'Irena, je pensais que tu jouais à des jeux en ligne, que tu regardais des petits films cochons ou que tu chattais avec tes amis américains sur Internet. Et puis je me suis renseignée sur l'application que tu m'as demandé de télécharger. Selon Google, c'est un programme de piratage.

Ethan s'efforça d'afficher une expression impassible.

— Je te le répète, il vaut mieux que tu en saches le moins possible.

Natalka fit un pas en avant puis fronça les sourcils.

— Oui, j'ai beaucoup réfléchi sur ce point. Et j'en suis arrivée à la conclusion que lorsque tu avoueras que je t'ai aidé, j'aurai du souci à me faire.

— Je ne te dénoncerai jamais.

— Pas de ton plein gré, bien sûr. Mais quand les gros bras de Leonid sortiront les tenailles pour t'arracher les ongles, je te garantis que tu leur diras ce qu'ils veulent savoir.

Ethan n'avait pas révélé à Natalka qu'il tenait Leonid pour responsable de l'assassinat de sa mère.

— Désolé, mais il y a des choses dont je ne peux pas te parler, insista-t-il, à court d'arguments.

La jeune fille glissa la clé USB dans la poche arrière de son jean.

— Très bien. Puisque c'est comme ça, je la garde.

— Natalka, soupira Ethan. Je t'ai donné de l'argent. On avait un accord.

— Fais-moi signe quand tu auras changé d'avis, conclut-elle avant de se tourner vers la porte. Je veux savoir ce que tu comptes faire de cette clé et être certaine que cette histoire ne se retournera pas contre moi.

Ethan enfouit son visage dans ses mains.

— OK, gronda-t-il.

Il connaissait la tendance de Natalka à se comporter de façon intéressée. Elle était tout sourire lorsqu'elle était à court d'argent ou de cigarettes mais lui battait froid dès qu'elle avait mieux à faire. Il l'aimait beaucoup, mais doutait de sa loyauté.

— Je vais brancher cette clé sur le PC de Leonid, lâcha-t-il à contrecœur. Le programme enregistrera toutes les touches saisies, effectuera des captures d'écran et copiera les documents modifiés.

— Et qui a transféré ce fichier sur le site FTP ?

— Ryan, un copain qui vit en Californie. Comme je n'avais qu'un accès restreint à Internet, il a accepté de me donner un coup de main.

— Et tu lui fais confiance ?

Ethan hocha la tête.

— Je l'ai rencontré au collège, avant la mort de ma mère. Il m'a sauvé la vie quand j'ai été renversé par une voiture. On ne communique que par Skype ou en visio. Comme ça je suis certain de ne pas avoir affaire à un agent de la CIA usurpant son identité.

— N'empêche, tu prends des risques insensés.

Ethan haussa les épaules.

— En fait, je n'ai pas d'autre ami, Natalka, et il est le seul à pouvoir m'aider. Je ne suis peut-être pas sûr de lui à cent pour cent, mais ce dont je suis persuadé, c'est que Leonid est prêt à tout pour prendre la tête du clan. Je pense que c'est lui qui a fait assassiner ma mère, et que ses tueurs m'ont raté.

— Mais il vit au même étage que toi. S'il voulait ta mort, il serait passé à l'acte depuis longtemps.

— Il doit la jouer fine, expliqua Ethan. Si ma grand-mère découvre qu'il a tué sa propre sœur, il sera chassé de la famille. C'est elle qui me protège sans même le savoir, mais le jour où elle cassera sa pipe, ce sera terminé pour moi.

— Et qu'est-ce que tu penses trouver sur l'ordinateur de Leonid ?

— Je ne sais pas trop. Mais l'information, c'est l'arme absolue. Je tomberai peut-être sur quelque chose qui me permettra de le faire chanter ou de prouver son implication dans le meurtre.

— Irena n'est pas idiote. Je suis convaincue qu'elle a déjà des soupçons. Je connais plusieurs résidents du Kremlin qui pensent qu'il est derrière cet assassinat.

Ethan n'en croyait pas ses oreilles.

— Vraiment ?

— Je te jure. Ma mère m'en a déjà parlé. Des pilotes se sont confiés à elle.

— Je ne connais presque personne, ici. Du coup, je suis tenu à l'écart de toutes les rumeurs.

Natalka hocha la tête.

— De toute façon, les gens la bouclent en présence des membres de la famille Aramov, de peur que leurs propos ne reviennent aux oreilles de Leonid.

— Moi, je crois que ma grand-mère refuse de voir la réalité en face. Elle lui passe tout. Même s'ils n'arrêtent pas de s'engueuler, il finit toujours par arriver à ses fins.

— Elle est comme toutes les mères : son fils est le plus beau et le plus intelligent de l'univers.

Ethan esquissa un sourire.

— La mienne se prenait tout le temps la tête avec mes profs de sport, aux journées portes ouvertes. Elle disait toujours qu'ils ne me laissaient pas ma chance. Elle n'a jamais accepté que j'étais tout simplement inapte sur le plan physique.

— Au fait, où en est ton projet de partir vivre à Dubaï ?

Ethan haussa les épaules.

— Au point mort. Ma grand-mère ne m'a pas encore pardonné d'avoir utilisé son PC sans son autorisation. Les choses rentreront peut-être dans l'ordre quand j'aurai purgé ma punition aux écuries.

— Très bien, lâcha Natalka en posant la clé USB sur la table de nuit. Je te remercie d'avoir été honnête avec moi. Alors, comment vas-tu t'y prendre pour brancher ce truc sur l'ordinateur de Leonid ?

.:.

Les six agents de CHERUB détalaient le long du canal. L'un des trois policiers lancés à leurs trousses dut renoncer après deux cents mètres de course, mais ses collègues, un grand Noir athlétique et une femme à la silhouette élancée semblaient bien décidés à ne pas se laisser distancer.

Les passants se firent moins nombreux à mesure qu'ils s'éloignaient du marché aux puces.

— On se sépare ! cria Chloé en remettant à Ning deux des sacs les plus lourds.

Les agents savaient que les policiers disposaient de talkies-walkies. Tôt ou tard, ils feraient appel à des renforts motorisés pour les intercepter. Ils seraient inévitablement arrêtés s'ils continuaient à courir droit devant eux.

Max et Alfie se suspendirent à la structure d'une passerelle métallique qui enjambait le canal puis s'y hissèrent à la force des bras. Après avoir parcouru cent mètres, Ning et Chloé gravirent la pente herbeuse qui séparait le quai de la rue puis s'engouffrèrent dans la ruelle qui longeait un dépôt d'autobus.

Grace et Ryan ne modifièrent pas leur trajectoire. Ce dernier avait pris une vingtaine de mètres d'avance sur sa coéquipière, la plus menue et la moins rapide du groupe. Soudain, au sortir d'une courbe, il réalisa que le quai s'arrêtait une centaine de mètres plus loin. Le seul moyen d'échapper à ce cul-de-sac consistait à escalader le mur de briques constellé de graffitis qui ceignait un centre de recyclage des ordures ménagères.

— On est coincés ! s'exclama Grace, à bout de souffle, en se plantant à ses côtés.

Un bruit de pas précipités parvint à leurs oreilles, signe que l'un des policiers était sur le point de les rejoindre.

— Je vais t'aider à monter, dit Ryan.

Il posa un genou à terre, permit à sa camarade de grimper sur ses épaules puis se redressa. Dès qu'elle put atteindre le sommet du mur, au lieu de s'y tenir à califourchon et de l'aider à la rejoindre, elle se laissa tomber dans le périmètre de la déchetterie.

— Eh ! protesta Ryan.

À cet instant, le policier apparut dans son champ de vision.

— Qu'est-ce qu'il y a ? répondit Grace. Tu ne peux pas passer ?

Ryan effectua un saut désespéré, mais il lui manquait une vingtaine de centimètres. Il chercha en vain un objet pouvant faire office de marchepied.

— Mets tes mains en évidence ! hurla le policier.

Ryan demeura parfaitement immobile. Il avait échoué dans l'accomplissement de sa première mission à CHERUB. Conscient qu'une agression délibérée sur un représentant des forces de l'ordre signerait son expulsion de l'organisation, il décida de se jeter à l'eau, au propre comme au figuré.

— Je t'ai donné un ordre !

Tandis que ce dernier portait la main à sa ceinture, Ryan se précipita vers le canal. Il redoutait par avance de plonger dans les eaux sales et froides, mais il était bon nageur et prêt à tout pour se soustraire à l'arrestation.

À peine eut-il enchaîné deux foulées que les dards d'un Taser se fichèrent dans sa cuisse, lui infligeant une pro-digieuse décharge électrique. Il bascula lourdement sur le flanc, les jambes secouées de convulsions. Au même instant, la sirène d'un véhicule de police se fit entendre.

— Je t'avais prévenu, gronda le policier.

Ryan, qui gisait face contre terre, entendit un fracas métal-lique puis le son d'un corps percutant la surface de l'eau.

Quelques instants plus tôt, Grace avait atterri sur un amas d'appareils électroménagers. Lorsque le policier avait dégainé son Taser, elle s'était emparée d'un vieux grille-pain, s'était placée au point le plus élevé du monticule de déchets puis l'avait lancé de toutes ses forces vers sa cible, l'atteignant en pleine tête.

Les muscles de Ryan étaient secoués de tremblements, mais il avait reçu plusieurs décharges comparables à l'entraî-nement et savait que ces manifestations étaient temporaires. Il ôta les dards plantés dans son jean.

— Ça va ? demanda Grace, perchée sur la pointe des pieds. Approche, j'ai trouvé quelque chose qui pourrait t'aider à grimper.

Sur ces mots, elle fit basculer une porte de réfrigérateur par-dessus le mur.

Ryan se redressa péniblement puis boitilla dans sa direction.

— Reste où tu es ! rugit le policier, qui s'était hissé sur le quai en dépit du poids de ses vêtements et de son gilet pare-balles gorgés d'eau.

Mais Ryan posa la porte contre la brique, grimpa sur cette marche de fortune, se hissa en haut du mur et sauta sur une pyramide de cartouches d'encre pour imprimantes, de robots ménagers et d'écrans LCD.

— Bien joué pour le coup du grille-pain, dit-il. Mais maintenant que tu t'en es pris directement à un flic, si on se fait prendre, ce ne sera plus une plaisanterie.

## 11. Le Livre de la jungle

— Tiens, Ethan ! s'exclama Tamara Aramov. C'est gentil de nous rendre visite. Oh, mais tu es venu avec Natacha ?

— Natalka, corrigea l'intéressée.

Leonid Aramov était toujours légalement marié, mais sa troisième épouse avait regagné la Chine avec leur fille. Tamara, mère du petit André et deuxième femme de l'héritier du clan, n'avait pas quitté le Kremlin. Elle s'était rabibochée avec son ancien mari, davantage par volonté de préserver l'équilibre de leur fils que par affection.

— Leonid dit que ta mère est l'un de ses meilleurs pilotes, sourit-elle.

Vêtu d'un pantalon de pyjama et d'un maillot de hockey, André rejoignit Tamara dans l'entrée.

— Salut, lâcha-t-il, stupéfait de trouver Natalka en compagnie de son camarade. Qu'est-ce que vous voulez ?

— On s'ennuyait, dit-elle. Ethan m'a dit que tu avais plein de jeux Wii.

Le visage d'André s'illumina, puis il se tourna vers sa mère.

— Le problème, c'est qu'on était en train de regarder un film.

— *Le Livre de la jungle*, précisa Tamara. Son préféré !

André avait dix ans, mais aux yeux de ses amis, il se comportait le plus souvent comme un enfant de maternelle.

— Maman ! protesta-t-il. Qu'est-ce que tu racontes ?

Ethan et Natalka mouraient d'envie de se moquer de lui, mais ils s'étaient présentés à la porte de son appartement dans le seul but d'accéder à l'ordinateur de Leonid. Mieux valait faire preuve de diplomatie.

— Moi aussi, je l'aime bien ce film, dit-elle. Baloo me fait trop marrer.

— Mais ne restez pas plantés là, lança Tamara. Entrez, je vais vous préparer du chocolat chaud. Nous regarderons la fin du film une autre fois.

Ethan et Natalka s'engagèrent dans un couloir, passèrent devant la porte du salon puis entrèrent dans la minuscule chambre d'André. La pièce était à peine plus large que son lit. Les étagères croulaient sous les boîtiers de jeux vidéo. Une télévision LED de taille disproportionnée était fixée au mur du fond.

L'air embarrassé, André chassa une couette Bakugan de son matelas.

— Il faudra penser à changer la déco si tu envisages d'inviter des filles, ricana Natalka. Où sont tes tarés de frères ?

— Alex et Boris ? Mon père les a emmenés faire la fête avec les nouvelles.

Natalka réprima un frisson de dégoût. Ces *nouvelles* étaient de pauvres filles acheminées en bus depuis les provinces déshéritées de la République populaire de Chine. Comme toutes les malheureuses qui les avaient précédées, elles passeraient quelques jours dans une baraque située à proximité de l'aérodrome avant de recevoir de faux passeports et d'être expédiées comme de vulgaires marchandises aux quatre coins de l'Europe et des États-Unis.

Attirées par la promesse d'un emploi en usine correctement rémunéré, elles avaient quitté leur pays de leur plein gré. En vérité, elles étaient condamnées à la prostitution. Contrairement à André, qui n'était encore qu'un enfant innocent, Ethan et Natalka savaient à quel genre d'activités Alex et Boris se livraient en compagnie de ces jeunes femmes vulnérables.

— Dans ce cas, ils ne seront pas de retour de sitôt, estima Ethan. Tu as toujours ce jeu de boxe ?

— Wii Sports, dit André. Il ne date pas d'hier. J'ai des jeux mille fois plus fun, vous savez.

— OK, mais choisis quelque chose de simple, pas un truc où il faut mémoriser les fonctions de tous les boutons de la manette, avertit Natalka.

— Commencez sans moi, il faut que j'aille aux toilettes, annonça Ethan.

Lorsqu'il se fut engagé dans le couloir, Natalka se campa dans l'encadrement de la porte afin de garder un œil sur l'ensemble de l'appartement. En dépit de sa fortune colossale, Leonid occupait quatre anciennes chambres d'officier dont les murs de séparation avaient été abattus. Il y régnait un désordre inextricable. Tout l'espace disponible était encombré de produits de contrebande.

— Pourquoi tu restes là ? demanda André, en glissant un disque dans la Wii.

— Je garde un œil sur la cuisine, au cas où ta mère aurait besoin d'un coup de main pour transporter les bols de chocolat.

— T'inquiète, elle s'en sortira.

Ethan progressa prudemment jusqu'à une section de couloir formant un cul-de-sac. C'est là qu'était installé le bureau de Leonid Aramov. S'il se faisait pincer, il n'aurait qu'à prétendre s'être trompé de direction.

L'ordinateur était un gros PC portable Toshiba connecté à une imprimante et à un modem satellite. Il le souleva de quelques centimètres et constata que son empreinte était dessinée dans la poussière, preuve que l'appareil ne quittait jamais son emplacement. Il étudia le panneau arrière et découvrit deux ports USB disponibles. D'un geste précis, il brancha la clé puis rejoignit Natalka.

— C'est bon, chuchota-t-il à son oreille avant de la suivre dans la chambre d'André. Alors, à quoi on joue ?

...

Grace et Ryan se dirigèrent d'un pas vif vers la réception de la déchetterie. Ils croisèrent sans être inquiétés deux agents municipaux portant des dossards orange et une jeune mère occupée à décharger divers appareils hors d'usage du coffre de sa voiture tandis que ses enfants chahutaient sur la banquette arrière.

Ayant rejoint la rue, ils se remirent à courir. Ils étaient désormais convaincus que leur poursuivant avait jeté l'éponge, mais redoutaient que leur signalement n'ait été transmis à tous les policiers en patrouille dans le quartier. Pressés de s'éloigner au plus vite des lieux de leur forfait, ils hélèrent le premier taxi venu.

Le chauffeur s'immobilisa à leur hauteur et les considéra d'un œil soupçonneux.

— Vous allez où, les enfants ?

— Ne vous inquiétez pas, dit Ryan en sortant de sa poche un billet de vingt livres.

— On a oublié nos clés, et on ne peut plus rentrer chez nous, expliqua Grace. Nous devons retrouver notre mère à son boulot.

— Et où travaille-t-elle ?

— Dans ce bâtiment qui ressemble à un cornichon, dit-elle, évoquant le seul immeuble de bureaux londonien dont elle avait entendu parler. Vous voyez ce que je veux dire ?

— 30, St Mary Axe, dit le chauffeur. OK, montez.

Installés à l'arrière du taxi, Grace et Ryan mirent quelques minutes à reprendre leur souffle.

— Tu as assuré comme une championne, tout à l'heure, haleta ce dernier.

— Merci, mais si les autorités du campus apprennent ce qui s'est passé, je ne m'attends pas à recevoir une médaille.

Ryan hocha la tête.

— Si *un seul* membre de la bande se fait pincer, Meryl ne mettra pas plus de quatre secondes pour identifier tous ceux qui étaient dans le coup. Essaye de joindre Chloé. Je vais appeler Max.

Sur ces mots, il sortit son téléphone de sa poche, mais Grace demeura figée, le visage éclairé d'un sourire béat.

— Quoi ? s'étonna-t-il. J'ai dit une bêtise ?

— J'ai abîmé ma semelle, dans la décharge, dit sa coéquipière en soulevant le pied de quelques centimètres.

Lorsque Ryan se pencha en avant pour inspecter sa chaussure, elle déposa un baiser sur sa joue.

— Tu es mignon, même tout rouge et couvert de sueur, lâcha-t-elle avec le débit d'une mitraillette, comme effrayée par ses propres paroles.

Ryan était sous le choc. Avant qu'il n'ait pu bredouiller une réponse, la sonnerie de son BlackBerry retentit et les mots *Appel de Ning* apparurent à l'écran.

— Vous vous en êtes sortis ? demanda cette dernière.

— De justesse, mais on a réussi à attraper un taxi. Et vous ?

— On est retournées au marché et on s'est fondues dans la foule. On a croisé Max et Alfie, mais on a jugé plus prudent de ne pas se regrouper.

Ryan entendit Chloé parler au second plan.

— Et on ferait mieux de rester séparés pour le reste de la journée.

— Chloé dit que… commença Ning.

— J'ai entendu, l'interrompit Ryan. Dans ce cas, je vais rester avec Grace. On se retrouve ce soir, au point de rendez-vous. Mais si j'étais vous, je me tiendrais à l'écart du canal.

— C'est prévu. Comme on préfère éviter la station de métro de Camden, on va marcher un peu avant de grimper dans un bus.

Soulagé, Ryan replaça le téléphone dans sa poche.

— Si je comprends bien, on a six heures devant nous, toi et moi, gloussa sa coéquipière, tout sourire, en se rapprochant de quelques centimètres sur la banquette. Qu'est-ce qui te ferait plaisir ?

Lors de leur brève relation sentimentale, Ryan avait jugé Grace collante et lunatique, mais il la trouvait toujours extrêmement jolie. En outre, les courbes de son corps s'étaient accentuées au cours des six derniers mois, et il brûlait d'envie d'y promener ses mains, quitte à recevoir une nouvelle assiette de macaronis au visage.

— On pourrait aller boire un café, suggéra-t-il en s'efforçant de masquer son trouble. Puis se balader dans un parc, discuter, ou tout ce que tu voudras...

— C'est vrai, on peut faire toutes sortes de choses, dans un parc, ronronna Grace en posant une main sur sa cuisse, à quelques centimètres des deux petites taches de sang laissées par les dards du Taser.

# 12. Lavage automatique

En ce mercredi, aux alentours de vingt-deux heures quarante-cinq, toutes les surfaces planes de la chambre de Ryan étaient couvertes de coupures de journaux, de notes gribouillées à la hâte et d'articles dénichés sur Internet.

À quatre pattes sur le sol, Alfie découpait une photographie montrant des véhicules flottant ventre en l'air dans une rivière en crue. Il s'empara d'un tube de colle et la positionna sur une grande feuille en haut de laquelle figuraient les mots *Dérèglement climatique*.

Ryan déboula dans la pièce en brandissant un porte-documents en plastique format A3.

— J'ai l'exposé de Grace et Chloé ! s'exclama-t-il, tout excité.

Les garçons, tous deux vêtus d'un kimono de karaté, placèrent le dossier au bout du lit afin d'en étudier le contenu.

— Finalement, ce n'est pas une si mauvaise chose que tu te sois remis avec Grace, dit Alfie.

Ryan lui adressa un regard anxieux.

— Elle est encore à l'entraînement. J'ai emprunté ce dossier sans son autorisation, et si elle l'apprend, elle m'arrachera la tête. Alors il n'y a pas de temps à perdre.

En découvrant le travail effectué par Grace et Chloé, il éprouva un sentiment où se mêlaient agacement et admiration. La première page était ornée d'un dessin coloré représentant des poubelles, des êtres humains et des animaux de compagnie emportés par un cyclone.

— Quelle bande de fayottes, grogna Alfie. Notre exposé va avoir l'air tellement minable à côté de ça...

Ryan haussa les épaules.

— Personne ne s'intéresse à la géographie. On va juste coller des images, deux ou trois articles, et pomper les meilleurs passages de ce dossier. Peu importe la note qu'on récolte. Tout ce qui compte, c'est qu'on ait quelque chose à présenter au prof demain matin. Je te promets qu'on sera au lit avant minuit.

— Minuit ? gémit Alfie. J'ai une séance de remise en forme avant les cours, et on est censés aller au cinéma, demain soir. Je vais être explosé.

— Tu dormiras pendant les cours, ricana Ryan.

À cet instant, Beatha Johannsson poussa la porte de la chambre. Cette robuste brunette de vingt-deux ans avait vu sa carrière à CHERUB voler en éclats en pleine mission, sept ans plus tôt, lorsque son visage avait été diffusé sur toutes les télévisions britanniques. Cette exposition médiatique l'ayant exclue de toute opération d'infiltration, elle avait connu un exil forcé en Suisse et suivi des études au Canada avant de regagner le campus où elle occupait désormais les fonctions d'éducatrice.

— Vous n'êtes pas encore au lit ? s'étonna-t-elle.

Elle fit deux pas à l'intérieur de la pièce puis porta une main à son nez.

— Oh, qu'est-ce que ça sent le fauve, là-dedans. Ouvrez la fenêtre, par pitié !

— On doit finir notre exposé, expliqua Ryan en tirant hâtivement sa couette sur le porte-documents chipé dans la chambre de sa petite amie.

Beatha se baissa pour examiner le travail accompli par Ryan et Alfie à grand renfort de coups de ciseaux et de colle en bâton.

— Complètement bâclé, dit-elle. Pourquoi vous y êtes-vous pris à la dernière minute ?

Ryan haussa les épaules.

— On avait oublié.

— Eh bien, ce n'est pas ce soir que vous terminerez cet exposé, annonça Beatha. Ryan, tu es attendu dans la salle de réunion, au rez-de-chaussée.

— Par qui ? s'étrangla l'intéressé.

Les agents qui avaient corrigé la bande de skinheads deux semaines plus tôt n'avaient pas été inquiétés, mais ils redoutaient toujours que le récit de leur forfait, au gré des rumeurs, ne parvienne aux oreilles des autorités de CHERUB.

— Je ne sais pas, répondit Beatha. J'ai croisé la directrice avant de monter ici, et elle m'a demandé de te tirer du lit.

— J'ai le temps de prendre une douche ?

— Ça avait l'air urgent. Si j'étais toi, je ne traînerais pas trop.

Ryan joignit les mains dans un geste de prière.

— Dans ce cas, pourrait-on obtenir un délai pour terminer notre exposé ? S'il te plaît...

Beatha souleva la couette et s'empara du porte-documents contenant le travail de Grace et Chloé.

— Vous auriez dû finir il y a plusieurs jours, mais je vais être sympa avec vous : je vais remettre discrètement ce dossier où vous l'avez trouvé et je ne vous dénoncerai pas à votre professeur. Ce serait ingrat de ma part, vu que vous avez si gentiment proposé de passer l'aspirateur dans tout l'étage dimanche matin.

Alfie considéra l'éducatrice avec des yeux ronds.

— Ah bon ? On a dit ça ?

— Bon sang, tu es tellement naïf... soupira Ryan en levant les yeux au ciel. Tu ne vois pas qu'elle nous force la main ?

— Oh, lâcha Alfie, l'air accablé. Bon, ben je vais essayer de voir ce que je peux faire tout seul, mais rejoins-moi dès que la réunion sera terminée, d'accord ?

— Et ouvrez-moi cette fenêtre ! insista Beatha avant de quitter la chambre.

Ryan ôta son kimono puis enfila un sweat-shirt à capuche, un pantalon de treillis et une paire de rangers avant de se ruer vers la cage d'ascenseur.

Dès qu'il entra dans la salle de réunion, il comprit que sa convocation n'avait rien à voir avec le pugilat du marché de Camden : Zara, la directrice de CHERUB, était attablée en compagnie d'Amy Collins et d'un agent de la CIA nommé Ted Brasker.

Lors de la mission en Californie, ce dernier avait joué le rôle du père d'Amy et Ryan.

— Qu'est-ce que tu as grandi ! s'exclama-t-il avant de se précipiter vers Ryan et de refermer sur lui ses énormes bras tatoués. Tu as pris au moins cinq centimètres depuis la dernière fois.

— Mais tu ne sens pas très bon, fit observer Amy en secouant une main devant son visage.

Zara désigna une chaise.

— Assieds-toi ici, dit-elle. Comment se fait-il que tu ne te sois pas douché ?

— Je n'ai pas eu le temps. Aujourd'hui, j'ai suivi une séance d'entraînement physique et un cours de karaté. En plus, je vais sans doute me faire remonter les bretelles par cette espèce de vieille tap...

Zara se raidit et écarquilla les yeux.

— Pardon ? lança-t-elle.

— Euh... par Mr Gilliger, reprit Ryan, blanc comme un linge. Si je ne lui rends pas mon projet d'exposé demain matin, je suis bon pour la morgue.

Zara afficha une expression consternée.

— Comment se fait-il que les garçons finissent *toujours* leur travail à la dernière minute ?

— Tu as pourtant beaucoup de temps à consacrer à Grace, ricana Amy.

Ted éclata de rire.

— Sans blague, tu as une petite copine ? Raconte-moi, comment est-elle ?

Ryan se tortilla sur sa chaise.

— Pourrait-on en venir aux faits ? grogna-t-il.

— Ethan n'a toujours pas donné signe de vie ? demanda Zara.

— Pas le moindre depuis deux semaines.

— J'ai une bonne et une mauvaise nouvelle, annonça Amy en faisant glisser sur la longue table une feuille de papier. Il s'agit de la copie d'un fax intercepté par le réseau Echelon d'interception des communications par satellite. Il a été adressé au Kremlin par un consultant privé en éducation nommé Douglas Miles.

Ryan parcourut le document.

*Chère Madame Aramov,*

*J'ai le plaisir de vous annoncer que la candidature de votre petit-fils Ethan a été retenue par l'AAD (Académie anglophone de Dubaï). Au vu de ses résultats scolaires, il sera dispensé d'examen d'entrée.*

*Bien que cet établissement se montre moins exigeant en termes de recrutement que les écoles les plus réputées du golfe Persique, j'entretiens d'excellentes relations avec les membres de sa direction et puis vous assurer qu'Ethan y recevra la meilleure éducation.*

Ryan examina l'en-tête du fax et constata qu'il avait été envoyé le 25 mars.

— Ça date de vendredi dernier, sourit-il. Je ne sais pas pourquoi il a cessé de communiquer sur Internet, mais au moins, ce document prouve qu'il ne lui est rien arrivé de grave.

Amy hocha la tête.

— Selon les informations que nous avons pu réunir depuis que nous avons reçu ce tuyau, Ethan est censé rejoindre l'AAD le lundi 16 avril, soit dans un peu plus de deux semaines.

Zara prit la parole.

— Le bon côté de la situation, c'est que le fax parle, je cite, d'*une école moins exigeante en termes de recrutement*. En clair, cela signifie qu'elle ne fait pas recette et que tous les élèves dont les parents ont les moyens de payer les frais d'inscription sont admis, sans considération de leur niveau scolaire. Vous connaissez les difficultés que nous rencontrons pour inscrire nos agents dans les établissements réputés à cause des listes d'attente. Du coup, nous avons gagné deux à trois semaines.

— Ça ne risque pas de paraître un peu gros, si je débarque dans la classe d'Ethan ?

— Comme si nous avions envisagé une chose pareille... soupira Amy en levant les yeux au ciel.

— Deux agents intégreront l'AAD en même temps que notre cible, précisa Zara. Un garçon, qui tâchera de devenir son meilleur ami, et une fille, qui tentera de le séduire. Ryan, tu travailleras avec eux en étroite collaboration.

— Mais que pourraient-ils apprendre que nous ne sachions déjà ? demanda ce dernier.

— Les jeunes de ton âge sont souvent inconstants, expliqua Amy. Nous devons envisager l'hypothèse qu'Ethan a cessé de communiquer avec toi par lassitude. Peut-être s'est-il trouvé une petite amie. Peut-être est-il arrivé à ses fins avec cette Natalka dont il parle sans cesse lors de vos communications sur MSN. Quoi qu'il en soit, il est urgent de renouer le contact.

— Sans quoi, ajouta Zara, nous ne pourrons plus collecter la moindre information concernant les activités du clan. Ne perdons pas de vue les crimes dont ils sont responsables.

— Si nous parvenons à mettre leur réseau hors d'état de nuire, précisa Ted, des dizaines d'organisations criminelles se retrouveront coupées de tout accès à leur marché. Mais les Aramov bénéficient de puissants soutiens en Russie et en Chine. Ils ont dans leur poche la quasi-totalité des forces de police, de l'état-major militaire et des politiciens du Kirghizstan. C'est pourquoi nous devons agir discrètement. Ethan est notre seul lien avec les dirigeants du clan.

— Ryan, tu es le seul dans cette pièce à le connaître personnellement, dit Zara. Selon toi, quel garçon et quelle fille seraient les plus à même de nouer des liens avec lui ?

Ryan se tordit nerveusement les mains.

— C'est dur, ce que vous me demandez, soupira-t-il. Ceux que je vais écarter risquent de m'en vouloir.

— Je te promets que tout ce que tu diras restera entre nous.

— Est-il nécessaire qu'ils soient expérimentés ?

— A priori, cette opération ne comporte aucun risque, répondit Amy, mais on ne peut jamais être sûr de rien. En théorie, notre séjour en Californie se présentait comme une mission de routine, et elle s'est terminée dans un bain de sang.

Ryan s'accorda quelques secondes de réflexion.

— Ethan est plutôt pas mal physiquement, mais sa maigreur repousse la plupart des filles. Si une nana canon commence à le draguer, il risque d'avoir des soupçons. Moi, je choisirais Ning. Elle n'est pas moche, mais ce n'est pas non plus Miss Monde, si vous voyez ce que je veux dire.

— Mais elle a déjà eu affaire à Leonid Aramov, si je me souviens bien, fit observer Zara.

— Elle a fui la Chine via le Kirghizstan, confirma Amy. Leonid l'a torturée avant de liquider sa mère adoptive.

— Mais Ethan se trouvait en Californie, à ce moment-là, dit Ryan. Pour lui, Ning est une parfaite inconnue. Leonid ne risque pas de se pointer aux journées portes ouvertes de l'AAD, et je pense qu'elle serait heureuse de pouvoir participer au démantèlement du clan, en souvenir de sa mère.

Amy hocha la tête en signe d'approbation.

— Elle s'est comportée de façon exceptionnelle lors du programme d'entraînement initial, et vu la facilité avec laquelle elle s'est fait des amis depuis son arrivée au campus, je suis convaincue qu'elle n'aura aucun mal à se faire apprécier de notre cible.

— Très bien, je me range à votre avis, annonça Zara. Et pour le garçon ?

— Pourquoi pas Max ? suggéra Ryan. Je sais qu'il s'est attiré pas mal d'ennuis, mais je crois que son sens de l'humour plaira à Ethan.

Zara afficha une moue dubitative. Elle se pencha en avant et posa les mains à plat sur la table.

— Je doute qu'il ait la patience nécessaire à l'accomplissement d'une mission de longue durée. Je suis convaincue qu'il finira par nous donner satisfaction, mais avant cela, il devra prouver qu'il est capable de contrôler sa personnalité explosive.

Au fond, Ryan partageait le point de vue de sa supérieure, mais il préféra n'en rien dire de crainte de causer du tort à son camarade.

— Alfie alors, dit-il. Il a un an de moins qu'Ethan et moi, mais vu sa stature, il fait largement treize ans.

Zara pointa l'index vers le plafond.

— Parfait ! s'exclama-t-elle. Avec son accent français, il pourra facilement passer pour un fils d'expatriés fréquentant une école internationale.

— Ted et moi allons rédiger les ordres de mission et réunir la documentation relative au clan Aramov destinée à Ning et Alfie, dit Amy. Ryan, j'aurais besoin de ton aide pour taper un rapport concernant Ethan. Tu es le mieux placé pour définir les diverses stratégies d'approche.

Ryan lâcha un soupir accablé.

— Et où trouverai-je le temps nécessaire ? Je n'ai même pas fini mon exposé de géographie…

Zara se pencha en arrière et fixa son agent droit dans les yeux, comme si elle essayait de lire dans ses pensées.

— Je te dispense de cet exposé et je t'autorise à sauter cinq heures de cours, dit-elle enfin. Mais si tu en profites pour t'accorder du bon temps, tu auras affaire à moi.

Ravi d'être parvenu à ses fins, Ryan esquissa un sourire.

— Oh, encore une chose avant que tu regagnes ta chambre, ajouta la directrice. À partir de ce jour, tu me feras le plaisir de prendre une douche après chaque séance d'entraînement, quel que soit ton emploi du temps. Si tu oses polluer encore une fois l'atmosphère de ma salle de réunion, je te traînerai *personnellement* jusqu'au dépôt des véhicules et je te pousserai dans la station de lavage automatique.

# 13. Gin tonic

*13 AVRIL (DEUX SEMAINES PLUS TARD)*

— Alors, ça y est? Tu as fini de retourner le fumier aux écuries?

Plantés devant les portes du Kremlin, Ethan et Natalka attendaient la voiture qui devait les conduire au bazar Dordoï.

— Ma grand-mère a levé ma punition, expliqua Ethan. Leonid voulait m'empêcher d'aller à l'école, mais elle lui a dit de s'occuper de ses oignons. J'ai reçu mon uniforme et mes bagages sont prêts. Elle m'a autorisé à aller en ville pour acheter des fournitures scolaires.

Contrairement à ses habitudes, Natalka resta muette. Elle baissa les yeux vers la pointe de ses Converse turquoise.

— Ah, je vois, sourit Ethan. Tu es triste. Je te manque déjà!

Il s'attendait à essuyer une pluie de sarcasmes, mais sa camarade lui adressa un regard oblique puis grogna:

— Tu es la seule personne avec qui je puisse avoir une conversation digne de ce nom, dit-elle. Mais ne va pas prendre la grosse tête, ou je te casse un bras.

Ethan était enchanté d'entendre son amie s'attrister de son départ.

— Arrête de sourire, gronda-t-elle.

— Il te reste ta mère. Je ne l'ai pas vue très souvent, mais je la trouve hyper cool.

Natalka leva les yeux au ciel.

— Ma mère est super, mais elle n'est presque jamais là. Et puis, on ne peut pas comparer les potes aux parents.

— Et Vladimir, ton beau gosse aux cheveux blonds ?

— Je ne peux plus le supporter. Il passe son temps à traîner avec Alex et Boris.

— Tu veux parler de leurs petites soirées de folie avec les Chinoises ?

Natalka préféra contourner le sujet.

— Tu as récupéré la clé USB ?

Ethan hocha la tête puis tapota la poche arrière de son jean.

— La nuit dernière, quand je suis allé jouer à la Wii avec André. Dès que nous serons à Bichkek, je me rendrai au web café pour transférer les données sur le site FTP. Mais ça fait quatre semaines que je n'ai pas pu communiquer avec Ryan. J'espère qu'il n'est pas fâché.

— Tu ne peux pas consulter toi-même le contenu de la clé ?

— Non, répondit Ethan. Je te rappelle que je n'ai pas de PC, et je ne veux pas prendre le risque d'examiner ces fichiers dans un endroit public. Mais à l'école de Dubaï, tous les élèves doivent posséder un ordinateur portable.

Un 4x4 Mercedes cabossé s'immobilisa devant la porte du Kremlin. L'un des gorilles du clan descendit du véhicule puis se précipita vers les adolescents.

— Je vous emmène au bazar ? lança-t-il.

L'homme semblait tout excité à l'idée de conduire un membre de la famille Aramov. Il tint la portière ouverte afin de laisser Ethan monter sur la banquette arrière, à la manière d'un chauffeur de maître, et laissa Natalka se débrouiller.

— Quelqu'un veut une cigarette ? demanda-t-il avant d'enfoncer la pédale d'accélérateur.

— Ah oui, merci, dit Natalka en saisissant le paquet posé sur le siège du passager avant.

⁘

Ning contempla son reflet dans le miroir de la cabine d'essayage : collant gris, jupe plissée assortie, chemisier à rayures bleues et blanches, et chapeau de paille.

— J'ai l'air *tellement* conne, dit-elle.

Elle se trouvait au rayon des uniformes scolaires de l'un des plus grands centres commerciaux de Dubaï. Alfie, qui portait la version masculine de la tenue officielle de l'AAD, observa un silence embarrassé. Ryan, lui, devait passer une semaine dans l'émirat afin d'orienter le travail de ses camarades. Il portait un bermuda et un polo Ralph Lauren.

— Ne vous inquiétez pas, ricana-t-il. Vous ne porterez ces déguisements ridicules que dix à douze heures d'affilée, six jours par semaine.

— La laine me démange, dit Alfie. Quel est le malade qui a décidé de nous faire porter cet uniforme en plein milieu du désert ?

Amy Collins était accoudée au comptoir jonché de vêtements de sport. Un vendeur d'origine indienne coiffé d'une perruque de mauvaise qualité explorait les rayons à la recherche d'un short convenant au tour de taille d'Alfie.

— Selon l'ordinateur, il nous en reste en stock, mais je n'arrive pas à mettre la main dessus.

— Tu vas devoir faire du sport en slip, mon pote, lança Ryan à l'adresse de son coéquipier.

Alfie leva les yeux au ciel.

— Si tu ne te décides pas à la fermer, tu le regretteras, lorsqu'on sera de retour à l'hôtel.

— Quand tu veux, répliqua Ryan en adoptant une posture de boxeur.

— Je crève de faim, gémit Ning, qui avait revêtu sa tenue civile, en quittant la cabine d'essayage. On ne pourrait pas trouver quelque chose à grignoter ?

Les membres de l'équipe avaient rejoint Dubaï au cours de la nuit, mais seule Amy souffrait du décalage horaire.

— Cette séance de shopping m'a convaincue de ne jamais avoir d'enfants, dit-elle tandis que le vendeur promenait le faisceau d'un lecteur optique sur les codes-barres. Je préfère qu'on rentre à l'hôtel et que vous passiez un coup de fil au room-service.

— On ne pourrait pas s'arrêter dans un fast-food ? insista Alfie.

— On a traversé une cour entourée de restaurants, tout près du loueur de bagnoles, dit Ning.

— Dès que je serai dans ma chambre, je vous jure que je vais liquider tout le gin et le tonic du minibar, grogna Amy.

— Ah tiens, moi aussi, plaisanta Ryan.

Quelques minutes plus tard, les agents dévalisèrent un restaurant McDonald's. Amy, elle, s'offrit un café corsé au Starbucks voisin.

— Cette nuit, je vous interdis *formellement* de chahuter. Détendez-vous, allez nager, comme vous voudrez. Ensuite, je veux que vous regagniez vos chambres et que vous étudiiez le rapport concernant Ethan. Ryan, tu te tiendras à la disposition de tes coéquipiers afin de répondre à toutes leurs questions.

— Au fait, j'ai eu une idée, dit Ning tout en mâchant une bouchée de cheeseburger. J'ai passé toute la semaine à apprendre à jouer aux échecs, mais à en croire Ryan, je n'ai strictement aucune chance de rivaliser avec Ethan. Du coup, je pourrais peut-être lui demander de me filer des tuyaux.

— Pas bête, répondit Amy.

Alfie lâcha un soupir agacé.

— Vous auriez pu y penser avant. Je me suis avalé plusieurs bouquins de théorie, histoire de me mettre à niveau. C'était à crever d'ennui.

À cet instant, le BlackBerry de Ryan émit le signal sonore annonçant la réception d'un SMS.

— Tiens, qui est-ce que ça peut être ? sourit Alfie.

Il lorgna sur l'écran du téléphone au-dessus de l'épaule de Ryan et éclata de rire. C'était un message de Grace.

*Espèce d'enfoiré de merde. Je te hais. Tu es mort.*

— T'es mal, mon pote ! gloussa Alfie.

— Un problème ? demanda Amy.

— Grace est tellement possessive, expliqua Ryan. Elle me bombarde de SMS. Elle veut savoir où je suis, ce que je fais et avec qui. Moi, tout ce que je voudrais, c'est une copine avec qui me balader et rigoler un peu, mais elle reste collée à moi vingt-quatre heures sur vingt-quatre.

— La vérité, c'est qu'il flippait de lui dire droit dans les yeux qu'il la quittait, expliqua Alfie. Alors il lui a envoyé un message de rupture juste avant de monter dans l'avion.

— Tu as rompu par SMS ? s'étrangla Amy. C'est absolument lamentable, Ryan ! J'espère bien qu'elle te bottera le cul dès ton retour.

Ryan se sentait plutôt mal à l'aise.

— La dernière fois, elle m'a jeté une assiette de macaronis au visage. Ensuite, elle a foutu mes manuels de chimie à la poubelle et tartiné mes jeans de peinture jaune. Alors je me suis dit que si je lui envoyais un message, elle aurait une semaine pour se faire à l'idée.

— J'aurais tellement aimé être au campus quand vous vous retrouverez, ricana Ning. Je vais rater un super moment !

— Grace n'est pas très grande, mais elle sait s'y prendre avec un plat de pâtes, ajouta Alfie.

— Si ça s'est si mal passé la première fois, pourquoi t'es-tu remis avec elle ? demanda Amy.

Ryan haussa les épaules.

— On était seuls dans un taxi. Tout à coup, je l'ai trouvée vachement sexy, et à vrai dire, ce n'est pas tous les jours qu'une fille me fait des propositions malhonnêtes.

— Je me demande ce qui lui a pris, ajouta Ning.

— Sans doute un exercice de survie, s'esclaffa Alfie.

D'un geste, Ryan lui intima le silence.

— Est-ce que tu pourrais aller te faire foutre ?

Cet échange amusait beaucoup Amy. Il lui rappelait les innombrables prises de bec dont elle avait été témoin au cours des années passées au campus. Cependant, elle ne pouvait pas laisser la situation s'envenimer, sous peine de voir s'effriter la cohésion de l'équipe dont elle avait la charge. Aussi décida-t-elle d'intervenir avant que l'affaire ne tourne au pugilat.

— Je suggère que nous oubliions les affaires de cœur de Ryan, dit-elle sur un ton ferme avant de consulter sa montre. Lorsque vous rencontrerez Ethan, il vous jugera au premier coup d'œil. Tous les détails compteront. Alors je vous demande de vous préparer à cette confrontation, et d'oublier tout le reste.

...

Le centre de Bichkek abritait des bâtiments gouvernementaux, des hôtels pour hommes d'affaires et des monuments datant de l'ère soviétique, mais le bazar Dordoï, situé au nord, était le véritable cœur de la cité.

Ce marché, qui alternait parties couvertes et à ciel ouvert, accueillait plus de six mille commerçants. Véritable ville dans la ville, c'était un labyrinthe constitué de containers métalliques empilés sur deux à trois niveaux, dont les plus bas faisaient office de boutiques.

Ethan et Natalka descendirent de la voiture à proximité de la zone où étaient rassemblées les échoppes de papeterie. Ils achetèrent quelques babioles puis s'enfoncèrent dans le marché en prenant soin de revenir plusieurs fois sur leurs pas pour s'assurer qu'ils n'étaient pas pris en filature par les hommes de Leonid. Enfin, ils se dirigèrent vers les boutiques dédiées aux plus jeunes habitants de Bichkek.

On y trouvait des produits piratés, des CD aux jeux vidéo en passant par les DVD et les disques Blu-ray, ainsi que des vêtements gothiques et toutes sortes de produits de contrefaçon importés de Chine : casquettes de base-ball Nike, T-shirts Nirvana et sabres laser *Star Wars*.

À l'intérieur des containers qui abritaient le web café, une foule d'adolescents disputait des parties de FPS en ligne. La chaleur produite par les PC dans l'espace mal aéré était difficilement tolérable. Le jeune homme chargé de la gérance de l'établissement empestait la sueur.

Ethan paya pour une heure de communication Internet, puis il s'assit devant un écran LED en compagnie de Natalka, dans l'angle opposé à la porte. L'énorme ventilateur électrique suspendu au plafond ne faisait que déplacer vainement un air fétide et surchauffé.

— Tu as choisi l'endroit le plus pourri de la ville, grogna Natalka, le front perlé de sueur.

— Mais l'avantage, c'est qu'il n'y a que des jeunes de notre âge dans le coin, répondit Ethan en se connectant à sa page Facebook. Si les gorilles de Leonid se pointent, on les repérera au premier coup d'œil.

— Oh, il est vachement mignon, roucoula sa camarade en découvrant la photo de Ryan figurant dans sa liste d'amis. Je ne m'attendais pas à ça.

— Et à quoi tu t'attendais ?

— À une mocheté de geek dans ton genre.

— Trop sympa.

En dépit des difficultés que lui posait le clavier cyrillique, il parvint à rédiger une réponse aux messages désespérés que lui avait adressés Ryan au cours des dernières semaines.

*J'ai enfin pu brancher une clé USB sur l'ordinateur de Leonid. Je vais transférer le contenu sur le site FTP. Pourras-tu y jeter un œil, quand tu auras le temps ? Sinon, je m'en chargerai moi-même, vu que je dois effectuer ma rentrée dans une école de Dubaï lundi prochain. Super nouvelle, non ? Mais je n'en ai pas fini avec mon oncle. Avant de partir, je placerai sous surveillance l'ordinateur dont il se sert quand il travaille aux écuries.*

∴

Dès qu'il eut pris connaissance du message de son camarade, Ryan déboula dans le couloir de l'hôtel et frappa à la porte de la chambre d'Amy.

— Ethan est de retour en ligne ! s'exclama-t-il. Il m'a envoyé un mail. Il va transférer les fichiers trouvés sur le PC de Leonid.

— Tu peux le contacter ? demanda la jeune femme, drapée dans un peignoir blanc.

— Tu oublies le problème du décalage horaire. Il croit que je suis en Californie. Je ne peux pas décemment lui répondre à deux heures du matin.

Amy se frotta pensivement le menton.

— Contacte Ted. Je vais appeler la cellule de Dallas pour m'assurer que les infos transférées par Ethan soient récupérées dès qu'elles seront disponibles.

— J'espère qu'il n'a pas risqué sa vie pour des prunes, dit Ryan. Je persiste à douter qu'un criminel de l'envergure de Leonid puisse être assez négligent pour stocker des informations compromettantes sur un disque dur.

# 14. Un autre passager

Ethan ne pensait pas que son départ pour Dubaï réglerait tous ses problèmes, mais la perspective de quitter le Kremlin, son sinistre éclairage au néon et ses murs jaunis par la nicotine, le comblait de bonheur. En outre, il était soulagé de pouvoir enfin mettre de la distance entre lui et son oncle.

Étendue sur son lit, la tête calée entre deux oreillers, Irena regardait CNN d'un œil distrait, un plateau de petit déjeuner à ses côtés.

— Approche, mon garçon, dit-elle en désignant l'espace étroit qui séparait le matelas de la table de chevet. Je ne connais pas grand-chose à ces trucs-là, mais on m'a assurée que tu n'aurais pas à te plaindre.

Ethan découvrit un PC portable Toshiba dernier cri sous emballage et un sac en plastique contenant divers accessoires : souris, housse en Néoprène, logiciels de bureautique et jeux piratés.

— Génial ! s'exclama-t-il.

— Il te plaît ?

— Tu parles qu'il me plaît !

— Si je t'autorise à partir pour Dubaï et t'offre cet ordinateur, c'est parce que j'estime que tu as le droit de vivre ta vie, expliqua Irena. Mais tu dois me promettre de rester discret quant aux choses que tu as vues et entendues ici, et de ne jamais essayer de contacter les gens que tu as connus aux États-Unis.

— C'est promis.

— Je sais que tu te sens différent de nous, mais n'oublie jamais que tu es un Aramov.

Ethan hocha la tête.

— Alors, n'ai-je pas mérité un baiser ? demanda la vieille dame.

Il la serra longuement dans ses bras. Sa chemise de nuit empestait le menthol et ses vertèbres saillaient dans son dos, mais pour la première fois, il ressentait une réelle affection pour sa grand-mère.

— Tu ressembles de plus en plus à ta mère, dit Irena. Les mêmes intonations, les mêmes gestes. Et tu embellis de jour en jour.

Elle parlait rarement de sa fille. Ethan en profita pour poser la question qui lui brûlait les lèvres depuis tant de mois.

— Sais-tu qui l'a tuée ?

— Si j'avais la moindre certitude, ceux qui ont fait ça ne seraient plus de ce monde.

— Même s'il s'agissait de Leonid ?

Irena tressaillit. Sa respiration se fit sifflante. Elle tendit la main vers le masque à oxygène posé sur la table de nuit.

— Qui t'a mis cette idée en tête ? lança-t-elle.

— Personne, répondit Ethan, effrayé par le ton glacial de la vieille dame. Mais il est ambitieux. Tout le monde raconte que tu avais demandé à ma mère de participer aux affaires de la famille pour éviter qu'il ne détienne tout le pouvoir.

— Tu déraisonnes, dit fermement Irena. Galenka et Leonid étaient très proches, lorsqu'ils étaient petits. Ah, comme ils s'amusaient, tous les deux ! J'admets que mon fils n'est pas un ange, mais ça, non ! Une mère connaît ses enfants, mon garçon. Je t'ordonne d'oublier ces bêtises.

Ethan sentit ses entrailles se serrer. *Pas un ange ?* Comment pouvait-elle faire preuve d'autant de complaisance à l'égard de Leonid? Il avait beau être son fils, elle ne pouvait pas ignorer la réalité de ses crimes.

— Bon, il faut que j'y aille, dit-il. Je dois faire mes bagages.

— N'oublie pas de m'appeler pour me donner des nouvelles, conclut la vieille dame.

— Tu peux compter sur moi.

Il regagna sa chambre, déposa l'ordinateur et le sac d'accessoires sur son lit puis consulta sa montre. Il lui restait quatre-vingts minutes avant de s'envoler pour Dubaï. Il n'avait plus qu'un ultime problème à régler.

Ethan n'avait eu aucune difficulté à pirater l'ordinateur de l'appartement de Leonid, mais il savait que ce dernier passait davantage de temps aux écuries qu'au Kremlin.

Après avoir vérifié que la clé USB se trouvait dans sa poche, il emprunta l'escalier jusqu'au rez-de-chaussée, quitta le bâtiment en empruntant une porte anti-incendie puis s'engagea sur le chemin menant au repaire de son oncle.

Au cours des semaines passées en ces lieux, il avait appris quelques mots de kirghiz auprès d'un jeune ouvrier agricole dont il avait gagné les faveurs en échange de paquets de cigarettes. Lorsqu'il entra dans la cour, les garçons d'écurie le saluèrent sans se préoccuper des raisons de sa présence. Il entra dans la baraque de l'administration et frappa à la porte métallique du bureau de Leonid.

Il ne reçut pas de réponse. Comme toutes les semaines, son oncle avait passé la nuit dans un casino de Bichkek et n'émergerait pas avant midi.

Ethan poussa la porte, se dirigea droit vers l'ordinateur et s'agenouilla afin d'introduire la clé dans le panneau arrière de l'unité centrale. L'opération ne prit pas plus de cinq secondes.

Il n'était pas exclu que le dispositif soit découvert, mais à en juger à la couche de poussière qui recouvrait les câbles, même l'employé chargé du ménage ne s'aventurait jamais de ce côté-là.

Lorsqu'il eut quitté les écuries, Ethan commit l'imprudence d'emprunter un raccourci qui longeait la salle de sport en plein air aménagée derrière le Kremlin. Le grillage tombait en morceaux et le terrain de basket était partiellement envahi par la végétation. Une dizaine d'individus torse nu ou en débardeur étaient rassemblés autour des appareils de musculation. Parmi eux, Ethan reconnut Vlad et les fils aînés de Leonid Aramov.

— Eh, viens un peu par ici, cria Alex.

Ethan fit la sourde oreille et continua à marcher droit devant lui.

— Ne me force pas à venir te chercher, avertit le garçon.

Ethan lâcha un juron, puis se dirigea d'un pas traînant vers les bancs où les voyous soulevaient des haltères. Les lieux évoquaient la cour d'une prison californienne.

— Je dois y aller, dit-il en désignant l'aérodrome. Mon avion décolle dans quelques minutes.

— T'inquiète, il ne partira pas sans toi, répliqua Alex. Allez, amène-toi en vitesse.

— Regardez-moi cette demi-portion, ricana Boris, provoquant l'hilarité de ses complices. Quelqu'un peut-il m'expliquer comment on pourrait avoir des gènes en commun ?

— Je ne suis pas certain qu'on appartienne à la même espèce, ajouta Alex en coinçant la tête d'Ethan sous son bras hypertrophié. Quel poids es-tu capable de soulever, cousin ?

— Environ trois kilos, gloussa l'un des culturistes.

Alex traîna Ethan jusqu'à une barre de traction.

— Si tu arrives à en faire dix, je te laisse partir, dit-il. Sinon, je te démonte la tête.

Ethan étudia l'appareil en frottant sa gorge douloureuse. Il avait pris un peu de muscle au cours du mois passé aux écuries, mais le défi auquel il était confronté était irréalisable. Lorsqu'il tenta de se hisser, les garçons éclatèrent de rire.

— Regardez comme ses bras tremblent ! s'esclaffa Boris. Il n'est même pas capable de faire une traction.

Ethan tira de toutes ses forces et parvint à placer le menton au niveau de la barre. Lorsqu'il détendit ses muscles, il lâcha prise et chuta lourdement sur le sol de béton. Il tenta de se relever, mais Alex le força à s'étendre par une forte poussée dans le dos puis posa la semelle de sa basket entre ses omoplates.

— Tu ne vas quand même pas pisser dans ton froc ? grinça-t-il.

Boris se racla la gorge et cracha au visage de sa victime.

— On pourrait te tabasser, dit-il en serrant les poings. Mais on réserve cette raclée pour le jour de ton retour. Maintenant, dégage.

Déterminé à ne pas pleurer devant ses tourmenteurs, Ethan se redressa puis s'éloigna en boitant sous les quolibets.

— Quelle mauviette !

— Je veux des places au premier rang quand vous lui ferez sa fête.

Ethan avait revêtu ses vêtements les plus chics afin de faire bonne impression à son arrivée à Dubaï. Ils étaient désormais maculés de poussière. D'un revers de manche, il essuya le crachat qui roulait sur sa joue.

∵

Amy Collins était assise devant la console de sa chambre d'hôtel. Les trois agents étaient affalés sur le lit défait.

— Nous avons reçu le rapport préliminaire concernant les données de l'ordinateur de Leonid, annonça-t-elle. Rien d'extraordinaire, comme je m'y attendais. Les Aramov ne sont pas nés de la dernière pluie. Ils mènent leurs affaires avec prudence. Cependant, il apparaît que notre cible se sert de ce PC pour taper des lettres et des notes. Il a aussi effectué plusieurs transactions via une banque en ligne. Tout est crypté, mais nous disposons de copies d'écran et des fichiers sous leur forme originale, ce qui devrait permettre à nos spécialistes de déterminer le système d'encodage.

— Quel genre de lettres a-t-on trouvé ? demanda Ryan.

— Nos spécialistes n'ont pas encore eu le temps de faire le tri, répondit Amy. Il y en a plus de deux cents. Les premières datent de l'installation du PC, les plus récentes de cette semaine. Dès qu'elles auront été analysées, nous nous pencherons sur les informations liées aux comptes bancaires et aux partenaires du clan.

— Et qu'est-ce que je devrai dire à Ethan, la prochaine fois qu'on se retrouvera sur MSN ?

— Gagne du temps. Dis-lui que tu croules sous les devoirs et que tu étudieras ses fichiers dès que possible. Comme il est sur le point d'intégrer une nouvelle école, j'espère qu'il se focalisera sur d'autres sujets dans les jours prochains.

Ning et Alfie échangèrent un sourire nerveux.

— Alors ça y est ? demanda Alfie. Ethan va vraiment quitter le Kremlin ?

— Tout l'indique, répondit Amy. Les avions civils doivent présenter leur plan de vol trois heures avant le décollage. Un jet immatriculé au Kirghizstan au nom de Clanair, la compagnie des Aramov, est censé s'envoler de l'aérodrome pour rejoindre l'émirat de Sharjah.

— Il ne va pas à Dubaï ? s'étonna Alfie.

Amy secoua la tête.

— Dubaï dispose d'un aéroport international, ce qui implique des coûts prohibitifs et des règles de sécurité extrêmement rigides. Celui de Sharjah est situé à une vingtaine de kilomètres. Il accueille essentiellement du fret, mais aussi des compagnies de second ordre qui assurent des liaisons avec l'Afrique, l'Inde et l'Asie centrale. La famille Aramov est en *excellents* termes avec les autorités de l'émirat, et sa flotte peut y opérer sans subir de tracasseries.

Amy marqua une pause.

— Alfie, j'ai informé l'AAD que tu te trouvais à bord d'un avion en provenance d'Égypte qui se posera dix minutes avant celui de Clanair. Ils enverront un chauffeur pour te conduire à l'école, et je suis convaincue qu'ils en profiteront pour embarquer Ethan.

Une rivalité amicale liait les deux coéquipiers, chacun souhaitant être le premier à se lier à leur cible. Alfie ne put résister à l'envie de tirer la langue à sa camarade.

— Je ferai en sorte que mon échiquier dépasse de mon sac, dit-il. On sera les meilleurs amis du monde avant d'avoir franchi la porte de l'école.

Ryan éclata de rire.

— Je te déconseille cette stratégie d'approche. Tu es un boulet aux échecs. Je te garantis qu'il te mettra minable en moins de dix coups.

— Bref, voilà la situation, dit Amy avant de se tourner vers Ning. J'imagine ce que tu peux ressentir. C'est ta première mission. Tu dois être drôlement excitée.

— À vrai dire, j'ai surtout la trouille de commettre une énorme boulette et de tout foutre en l'air.

∴

De retour dans sa chambre du Kremlin, Ethan tremblait encore de tous ses membres en enfilant ses vêtements de rechange.

Il porta les deux sacs et la sacoche contenant son ordinateur jusqu'à l'ascenseur. André tira son énorme valise à roulettes.

— Tu me diras comment ça se passe, d'accord ? demanda le petit garçon tandis que la cabine descendait vers le rez-de-chaussée. J'adorerais aller dans un internat, mais il faudrait que je demande à mon père...

— Tu aurais du mal à suivre les cours, fit observer Ethan. Tu es loin d'être stupide, mais ton anglais n'est pas génial, et le niveau de l'école de Bichkek n'est vraiment pas terrible.

— De toute façon, il n'acceptera jamais que je quitte le Kremlin, dit André, la mine sombre. La vie est tellement nulle, ici...

Un employé de l'aérodrome les attendait dans le hall d'entrée. Il jeta un œil à sa montre de façon à faire comprendre à Ethan qu'il était en retard, mais se garda de formuler la moindre critique en raison du respect dû aux membres de la famille Aramov.

Il plaça les bagages à l'arrière d'un étrange véhicule qui, jusqu'à l'éclatement de l'URSS, avait servi à déplacer les bombes destinées aux appareils militaires. Après avoir serré André dans ses bras, Ethan monta à bord, puis le chauffeur, coupant à travers champs, se dirigea vers l'aérodrome.

Il dut patienter quelques minutes sur une voie de roulage pour échapper aux turbulences causées par le décollage d'un monstrueux Ilyushin, puis il fila droit vers un petit jet Yak-40 stationné en bordure de piste.

Dans sa configuration standard, l'avion pouvait accueillir vingt passagers, mais lorsque Ethan eut gravi les dix échelons menant à la cabine, il n'y trouva que sept larges fauteuils et un bar plaqué acajou.

L'appareil, sorti des chaînes de montage russes au début des années 1970, avait fait partie de la flotte réservée aux dignitaires du Parti. Le Formica jaunâtre qui tapissait le fuselage était d'un autre âge, mais la moquette était neuve, et les élégants sièges en cuir disposaient de lecteurs DVD, de stations iPod et d'écouteurs à réduction de bruit active.

Ethan jeta un œil par la porte ouverte du cockpit. Un pilote aux cheveux gris et son jeune assistant procédaient aux vérifications réglementaires.

— Bonjour, lança-t-il en leur adressant un signe de la main. Combien de temps durera le vol ?

— Nous sommes en train d'étudier le bulletin météo. Nous vous informerons dès que nous serons fixés.

— Nous attendons d'autres passagers ?

— Un seul. D'ailleurs, le voilà.

Ethan fit demi-tour puis se pencha à la porte de l'appareil. Alors, il vit Leonid Aramov tirer une petite valise du coffre d'une Mercedes stationnée à quelques mètres du jet.

## 15. Une aiguille dans une botte de foin

Assis sur une banquette à proximité du comptoir d'accueil de l'aéroport de Sharjah, Alfie sirotait une cannette de Coca. En jetant un œil au tableau des départs, il s'étonna de n'y trouver que des noms de villes inconnues, comme Tcheliabinsk, Krasnodar, Turbat ou Douchanbé.

Après deux heures d'attente, le professeur qui l'avait accueilli devant le poste de douanes partit à la pêche aux renseignements. Il voulait savoir pourquoi l'avion du nouvel élève en provenance du Kirghizstan n'avait toujours pas atterri.

Dès qu'il se trouva hors de son champ de vision, Alfie composa le numéro d'Amy sur son téléphone portable.

— Qu'est-ce qui se passe? demanda-t-il. Ethan devrait être arrivé depuis des plombes.

— Comme prévu, le jet est apparu sur nos écrans radars quelques secondes après son décollage, expliqua Amy. Il a respecté le plan de vol pendant quarante-cinq minutes avant de changer de cap.

— De changer de cap? s'étrangla Alfie.

— Il a emprunté un couloir aérien réservé à l'aviation russe puis le transpondeur a été coupé.

— Tu veux dire que l'appareil a disparu des écrans?

— Pas exactement. Il a d'abord cessé d'émettre son identification. J'ai informé mes collègues de Dallas. Ils essayent de comprendre ce qui se passe.

— Tu crois que le jet s'est écrasé ? demanda Alfie. Ou qu'il a dû effectuer un atterrissage d'urgence ?

— On ne peut pas écarter ces possibilités, répondit Amy. Mais nous savons que les Aramov bénéficient de complices parmi les responsables des forces aériennes russes. Nous pensons que le pilote a dévié sa trajectoire vers leur espace aérien. L'US Air Force va essayer de déterminer le trajet qu'il a emprunté grâce aux enregistrements de leurs radars et de leurs satellites, mais une chose est sûre, c'est qu'Ethan ne se posera pas à Sharjah de sitôt.

— Et qu'est-ce que je fais, moi ? s'inquiéta Alfie.

— Il est possible que l'avion ait effectué un détour pour livrer un chargement sur un aéroport russe. Dans ce cas, il devrait avoir plusieurs heures de retard. Le professeur qui est venu te chercher va perdre patience et te ramener à l'école. Ning s'y trouve déjà.

— Mouais. Si je comprends bien, la mission est à l'eau. Bon sang, quand je pense à tous les manuels d'échecs que j'ai dû m'avaler...

∴

Dès que le jet avait pris son envol, Leonid avait arraché Ethan de son fauteuil et l'avait proprement passé à tabac. Après lui avoir fait les poches et l'avoir dépossédé de sa montre, il l'avait abandonné sur la moquette, un œil gonflé et un bâillon enfoncé jusqu'au fond de la gorge, sans formuler la moindre explication.

L'avion s'était posé trois heures plus tard. Ethan, les mains liées dans le dos, descendit les marches menant au tarmac et découvrit une piste battue par les vents au bord de laquelle se dressaient une antenne parabolique hors d'usage et une baraque en bois privée de porte.

Leonid poussa son prisonnier vers un second Yak-40 aux couleurs de Clanair stationné à deux cents mètres de là, moteurs allumés. La peinture du fuselage était écaillée. On pouvait y distinguer des impacts de balles hâtivement rebouchés.

Avant d'embarquer, Ethan fut autorisé à se vider la vessie dans la terre ocre qui bordait la piste. Un colosse à la peau noire portant un costume bleu pâle et des lunettes de soleil à monture dorée débarqua de l'appareil et vint à leur rencontre.

— C'est ton neveu ? demanda-t-il en anglais avant de serrer la main de Leonid.

Son ton familier et son attitude détendue démontraient que les deux hommes étaient de vieilles connaissances.

— Content de te revoir, Kessie, dit Leonid. Tu as bien compris mes instructions ?

— Tout est clair, confirma l'homme. Je garde le gamin à l'œil et je fais en sorte qu'il rassure sa grand-mère si elle l'appelle pour lui demander des nouvelles de Dubaï.

— Et fais bien attention à ce que personne ne le voie. Ma mère est dans les affaires depuis un bail. Elle a des yeux et des oreilles un peu partout. Si elle découvre la vérité trop tôt, nous n'aurons plus qu'à dire nos prières, toi et moi.

— Ça va durer longtemps, à ton avis ? demanda Kessie.

— Jusqu'à ce que j'aie pris le contrôle de tous les actifs financiers de la famille. Le garçon nous servira de monnaie d'échange, si les choses tournent mal, mais une fois que j'aurai la main sur les comptes bancaires...

Il n'acheva pas sa phrase, mais passa un doigt sur sa gorge.

— Veux-tu que je te fasse parvenir une vidéo ? demanda Kessie.

— Les vidéos peuvent être trafiquées.

— La mâchoire inférieure, alors ?

Leonid hocha la tête.

— Oui, ce sera parfait. Tu l'enverras à Kuban, au bureau de Sharjah. Tu auras la seconde moitié du paiement dès réception.

Ethan était épouvanté. Il se trouvait au milieu de nulle part, en compagnie de deux hommes qui évoquaient sa mort comme s'il s'agissait d'une simple formalité.

— C'est toujours un plaisir de faire affaire avec toi, dit Kessie en attrapant son prisonnier par la nuque. Tu ne me causeras pas de problèmes, n'est-ce pas, mon garçon?

Réduit au silence par son bâillon, Ethan tremblait de tous ses membres. Ses joues ruisselaient de larmes.

— Content de t'avoir connu, cher neveu, ricana Leonid. Et quand tu arriveras au paradis, tu diras à ta mère qu'elle peut aller se faire foutre.

※

En tant qu'agent des services de renseignement américains, Amy avait accès aux réseaux de surveillance les plus perfectionnés, mais elle n'avait à sa disposition aucun matériel lui permettant d'en exploiter les ressources. Tandis que Ning et Alfie passaient leur première nuit à l'AAD, elle étudiait sur son écran d'ordinateur un fichier transmis par l'US Air Force listant tous les mouvements enregistrés au cours de la journée dans le ciel de l'Asie centrale.

— Autant chercher une aiguille dans une botte de foin, dit-elle à Ryan.

Ce dernier était assis sur le lit, un PC portable sur les genoux.

Une heure plus tard, ils reçurent un nouveau fichier excluant les appareils ayant suivi leur plan de vol. Ryan nota les coordonnées géographiques de la vingtaine d'avions figurant sur le document puis Amy appela le QG de Dallas afin d'en obtenir des images satellites récentes.

Une quinzaine de minutes s'écoulèrent avant qu'une série de clichés ne soient déposés sur sa messagerie Internet. Sur bon nombre d'entre eux, les appareils étaient invisibles en raison de la couverture nuageuse, mais la chance était de son côté.

— Je crois que j'ai trouvé, annonça Ryan. Photo numéro dix-sept.

L'image était un peu floue, mais on y distinguait les silhouettes caractéristiques de deux Yak-40 stationnés à deux cents mètres l'un de l'autre.

Ryan releva leur position et la reporta sur Google Maps.

— Ils se trouvent au sud-ouest de la Russie, dans la région de Kislovodsk, dit Ryan.

— En regardant bien, on reconnaît les couleurs de Clanair, sur la queue des deux avions, confirma Amy. Pas de voitures dans les parages, pas de véhicules de ravitaillement. Je suppose qu'ils se sont posés le temps de transférer des marchandises ou des passagers, puis qu'ils ont redécollé aussi sec.

— L'image date de cet après-midi. Est-elle fréquemment remise à jour ?

— Sans doute, vu que cet aérodrome est situé à proximité de la frontière géorgienne.

La fréquence de passage des satellites espions américains était conditionnée à l'importance géopolitique de leur cible. Depuis l'invasion de la Géorgie par la Russie en 2008, la zone était placée sous haute surveillance. Amy passa un bref coup de fil pour indiquer aux analystes de se concentrer sur les Yak et de lui adresser les clichés gardés en mémoire dans leurs banques de données.

— Génial, dit-elle. Ils rafraîchissent l'image toutes les quatre-vingt-dix secondes.

La connexion Internet de l'hôtel n'était pas très musclée, mais Amy se trouva bientôt en possession d'une dizaine de photographies qu'elle pouvait faire défiler à l'écran à la manière d'un film.

Les avions avaient atterri à douze minutes d'intervalle. Elle vit deux individus aller à la rencontre d'un troisième, taches impossibles à identifier en raison de la faible résolution. En étudiant leur ballet, elle comprit que l'un des passagers avait changé d'appareil.

— Je te parie qu'Ethan a été transféré dans l'autre avion, dit Amy.

— Il a dû être kidnappé par l'un des gorilles d'Aramov, ajouta Ryan.

— Mais pourquoi le faire changer de zinc ? Pourquoi ne l'ont-ils pas éliminé, tout simplement ?

— Excellente question. Jetons un œil au relevé des radars de l'US Air Force et voyons où ils se sont posés.

Il ne leur fallut pas plus d'une minute pour comprendre que l'avion à bord duquel Ethan avait quitté le Kremlin avait effectué une brève escale dans un aérodrome russe avant de brancher son transpondeur en utilisant une nouvelle identification et de voler jusqu'à une station balnéaire de la mer Noire.

— Selon nos informations, c'est là que Leonid a l'habitude de flamber des millions au casino, annonça Amy.

— Ça veut dire que Leonid se trouvait avec Ethan, dans l'avion qui a décollé du Kremlin ?

— C'est fort possible.

— Et l'autre appareil ?

Selon le relevé, le second Yak-40 de la compagnie Clanair avait quitté la Bulgarie tôt dans la matinée. Ryan accéda à la base de données de la CIA et y trouva deux clichés de l'avion.

— C'est une version modifiée conçue pour effectuer de longs trajets, annonça-t-il. Tu vois cette bosse au niveau du fuselage ? C'est là qu'est stocké le carburant supplémentaire.

— Merde, lâcha Amy. Ça élargit considérablement le périmètre de nos recherches. Et je crois que le pilote nous a faussé compagnie.

— Tu veux dire que les radars ont perdu sa trace ?

— La Russie et la Géorgie sont séparées par une chaîne montagneuse. L'avion a pris la direction du sud, puis il a littéralement disparu.

— Bordel ! gronda Ryan.

Amy décrivit un large cercle du bout du doigt sur la page Google Maps affichée à l'écran.

— Vu que le Yak dispose d'une importante réserve de kérosène, il pourrait se trouver en Sibérie ou en Afrique. Même en Europe, mais c'est peu probable. Il est même possible qu'il se soit posé au Kirghizstan.

— Nom de Dieu, qu'est-ce qu'on va faire ?

— La CIA dispose d'analystes spécialisés dans la traque des avions, mais ils ne peuvent pas faire de miracles. La seule fois où j'ai fait appel à eux pour retrouver des trafiquants, ils m'ont suggéré vingt destinations différentes.

Ryan se laissa tomber en arrière sur le lit.

— On a perdu Ethan, gémit-il. Et si Leonid lui fait la peau, ce sera *notre* faute. Je l'avais bien dit. Nous n'aurions jamais dû laisser les hommes d'Irena s'emparer de lui, après la mort de sa mère.

# 16. Comme un animal en cage

Irena Aramov avait bâti son empire criminel en rachetant pour une bouchée de pain des avions-cargos de la flotte militaire soviétique. Jugeant les coûts de maintenance de ces vieux appareils trop importants, elle préférait produire de faux documents et risquer d'éventuels accidents que d'investir un seul dollar dans la main-d'œuvre et l'achat de pièces de rechange.

L'avion dans lequel se trouvait Ethan était un véritable cercueil volant. Si l'extérieur de la carlingue avait été sommairement repeint, l'intérieur évoquait le décor d'un film d'action après la fusillade finale. Le coffrage qui recouvrait le fuselage était constellé d'impacts de balles et de traces de mains sanglantes.

Trois rangées de sièges avaient été démontées afin d'agrandir l'espace destiné au fret. Les caisses de munitions entreposées à l'arrière provoquaient un vacarme infernal à la moindre turbulence. Le siège auquel Ethan était ligoté empestait l'urine. Un morceau de plastique saillait dans son dos.

Après trois heures de vol, à la tombée de la nuit, le jet entama une descente rapide puis atterrit sur une bande d'asphalte dont le tracé était matérialisé par des hommes brandissant des bâtons phosphorescents.

Kessie se posta en haut des marches et conversa dans une langue inconnue avec des complices qu'Ethan ne pouvait apercevoir. Un employé de l'aérodrome connecta un tuyau flexible à une valve située sous l'aile gauche.

L'air qui s'engouffrait par la porte ouverte était chaud et humide. Plusieurs individus effectuèrent des allers-retours dans la cabine pour déposer des tubes en plastique dont les étiquettes portaient l'inscription *Antibiotiques pour bovins* et des sacs transparents contenant des défenses d'éléphant, des peaux de guépard et des dépouilles de lion sanglantes.

Kessie remit à ses interlocuteurs plusieurs liasses de billets.

— On met les voiles, dit-il enfin aux deux hommes d'équipage, l'air très satisfait, avant de fermer la porte.

Dans l'espace confiné de la cabine, les peaux de bêtes ne tardèrent pas à exhaler une odeur écœurante, attirant un essaim de mouches surgies de nulle part.

Les mains attachées dans le dos, Ethan n'avait aucun moyen de chasser les insectes qui se posaient sur sa nuque et au coin de ses yeux.

Lorsque l'avion s'élança sur la piste, Kessie sortit une bombe d'aérosol du vide-poche de son fauteuil et en lâcha quelques giclées.

— C'est aussi ça, l'Afrique, ricana-t-il en se tournant vers Ethan. Ça va te changer du Kirghizstan, tu peux me croire !

∴

Après deux heures de vol, le jet fit une nouvelle escale sur une piste en terre battue placée sous la surveillance de gardes armés de fusils d'assaut AK-47. De nouveau, Ethan tendit l'oreille lorsque Kessie s'entretint avec des complices rassemblés sur le tarmac : il était question d'une guerre civile. Le pilote affirma qu'il valait mieux achever le voyage au lever du soleil, car il craignait que l'avion ne soit confondu avec un chasseur ennemi dans l'obscurité.

Ethan entendit son ravisseur évoquer plusieurs États de la région, mais il connaissait mal la géographie de l'Afrique.

L'appareil reprit les airs pour un ultime saut de puce d'environ une heure. Lorsqu'il plongea sous la couverture nuageuse, Ethan se tourna vers le hublot et découvrit une ville de taille moyenne, un réseau de rues encadrées de toits en zinc qui rayonnaient depuis le centre-ville.

Les constructions se firent plus rares à mesure que l'appareil effectuait son approche finale dans l'axe d'une piste en asphalte disposant de balises lumineuses et de marquage au sol.

Aux abords de l'aérodrome se trouvaient des enclos où étaient enfermées toutes sortes d'animaux exotiques, des gazelles aux rhinocéros en passant par les zèbres et les girafes. Derrière un alignement de hangars aux parois rouillées se dressait une immense villa de style colonial couronnée d'antennes et de paraboles.

— Mon ranch te plaît ? lança fièrement Kessie en libérant Ethan de son bâillon.

Ce dernier n'avait pas bu une goutte d'eau depuis plus de douze heures. Il lui semblait que sa langue s'était changée en carton.

— Tout est à moi, jusqu'à l'horizon, poursuivit le criminel. Et tu vas compléter ma collection de bêtes sauvages.

Dès que l'appareil se fut immobilisé, Kessie ouvrit la porte et lança des ordres aux individus qui avaient accouru à sa rencontre.

Un garçon âgé d'environ dix-sept ans monta à bord et ôta les menottes d'Ethan. Il portait une chemise ouverte exposant son torse musclé, un pantalon de survêtement crasseux et des bottes en caoutchouc incrustées de boue.

Dès qu'il fut libre de ses mouvements, Ethan saisit la bouteille d'Evian que Kessie avait abandonnée sur son siège. L'inconnu le laissa se désaltérer avant de le pousser à l'extérieur de l'appareil. La température extérieure était plus clémente qu'à l'endroit où ils avaient fait escale au cours de la nuit.

Considérant l'herbe verte qui recouvrait le sol, Ethan comprit qu'il se trouvait au sud de l'équateur. Il suivit le jeune homme le long d'un chemin de terre qui serpentait entre les installations du ranch. L'air grouillait de mouches attirées par l'odeur forte des animaux.

— Reste ici, et tiens-toi tranquille, dit l'inconnu dans un anglais scolaire avant de tourner le verrou d'un abri aux murs constitués de parpaings mal ajustés et coiffé de tôle ondulée.

À l'intérieur, Ethan découvrit six cellules. Il aperçut un râtelier d'armes vide près de la porte et devina que cette prison avait été conçue pour accueillir des détenus bien plus retors qu'un garçon maigrichon de treize ans.

Le jeune homme tira la porte d'une geôle et ordonna à son prisonnier d'y entrer. Les lieux, d'une étonnante propreté, embaumaient le désinfectant, mais Ethan distingua des traces brunâtres au pied des murs et dans la rigole d'évacuation des eaux qui courait d'une cellule à l'autre.

Le large seau en plastique placé dans un angle pouvait indifféremment servir de tabouret ou de toilettes de fortune. Un matelas jauni garni de coussins reposait à même le sol.

— Je m'appelle Michael, annonça l'inconnu. Je ne suis pas méchant, mais le boss m'a ordonné de te cogner si tu essayais de causer des problèmes. Je vais aller te chercher un verre et une brosse à dents. Une employée des cuisines t'apportera à manger.

— C'est super, ironisa Ethan en constatant qu'il ne disposait pas d'autre source de lumière que les interstices du toit et une minuscule ouverture horizontale garnie de barreaux aménagée dans le mur extérieur. Mais j'aimerais au moins savoir où je suis.

Michael poussa la porte de la cellule.

— Je n'ai pas le droit de te parler, dit-il. Et si je désobéis, Kessie m'écorchera vivant.

...

En ce dimanche matin, Ning dégustait une assiette d'œufs brouillés au réfectoire de l'AAD. Le trimestre ne débutant que le lendemain, peu d'élèves avaient déjà rejoint l'établissement.

En l'absence d'Ethan, sa présence à Dubaï n'avait plus aucune utilité, mais elle savait que les autorités de CHERUB n'exfiltreraient pas leurs agents avant une ou deux semaines, de façon à ne pas confronter la direction de l'école à une triple défection des plus suspectes.

Elle grignota avec curiosité un morceau de bœuf hallal façon bacon. Elle espérait secrètement recevoir un coup de fil d'Amy l'autorisant à se faire exclure pour indiscipline. En la matière, elle n'était pas à court de stratégies. Elle aurait volontiers déclenché l'alarme incendie, laissé ouverts les robinets de la salle de bains collective, brisé les vitres ou lancé un ballon de basket au visage d'un surveillant.

— À quoi tu penses? demanda Alfie en s'installant face à elle.

Il était vêtu d'un jean et d'un polo Lacoste. Il avait coiffé ses cheveux en arrière et placé une paire de lunettes de soleil au sommet de son crâne en guise de serre-tête.

— Qu'on pourrait se faire virer si on grimpait à l'arbre de la cour pour bombarder d'œufs le directeur, répondit Ning.

— Ouais, ce serait cool. Pourquoi tu es en uniforme?

— Ben, je croyais qu'on devait le porter tous les jours.

— Tu as eu Amy au téléphone? demanda Alfie en enfournant une galette de pommes de terre. Wah, c'est chaud!

Il recracha la bouchée dans son assiette puis vida d'un trait son verre de jus d'orange.

— Dégueu, gloussa Ning en détournant le regard. Tu étais plutôt pas mal, avec ton polo et tes lunettes, mais tu as tout gâché.

— C'est ma tenue de golf, expliqua Alfie. J'ai fait la connaissance de deux élèves, hier soir, et ils m'ont invité à disputer une partie à onze heures.

— Tu sais jouer ?

— Mal. Mais vu qu'Ethan n'est pas là, je ne sais pas quoi faire de ma journée.

— Quand tu auras terminé de te goinfrer, on ira dans ma chambre et…

— Ouais, bonne idée, faisons des folies de nos corps ! interrompit Alfie en adoptant son accent français le plus appuyé.

— Ferme-la, bon sang ! grogna Ning. J'essaye d'être sérieuse. Il faut qu'on appelle Amy. On ne peut pas rester éternellement dans le flou.

Avec ses lourdes portes de chêne et ses fenêtres à pignon, la décoration de l'école évoquait celle d'un pensionnat anglais traditionnel, mais le bâtiment était en réalité sorti de terre trois ans plus tôt.

— La mienne donne sur les terrains de sport, dit Alfie en découvrant la chambre de sa coéquipière, dont les affaires étaient éparpillées un peu partout.

Ning ferma la porte, composa le numéro d'Amy puis brancha son iPhone sur sa base de recharge équipée de haut-parleurs. Elle s'assit au bout du lit. Alfie, lui, s'installa sur une chaise, devant le bureau.

— Alors, combien de temps va-t-on rester coincés ici ? demanda Ning après avoir expédié les salutations d'usage.

— Ted et moi travaillons sur une stratégie, répondit Amy. Nous n'avons pas seulement perdu Ethan, mais aussi notre seul lien avec le clan Aramov.

— Si Leonid est responsable de cet enlèvement, ça veut dire qu'il a déclaré la guerre à Irena, dit Alfie.

— Sans aucun doute.

— Et avez-vous pensé à Dan ? suggéra Ning.

— Dan ? répéta Alfie. Qui c'est, celui-là ?

Amy, qui avait procédé à l'interrogatoire de Ning à son arrivée au campus de CHERUB, savait de quoi il retournait, mais elle la laissa résumer la situation.

— Ma mère adoptive et moi avons été kidnappées par Leonid Aramov et ses hommes. Ils nous ont torturées jusqu'à ce qu'elle accepte de leur transférer toute sa fortune, puis ils l'ont tuée. Moi, j'ai réussi à m'échapper avec l'aide de Dan.

— Il travaille pour les Aramov ? s'étonna Alfie.

Ning hocha la tête.

— Il n'a que seize ans. Enfin, dix-sept, maintenant. Il est à leur solde, faute de mieux, mais il les déteste, et il a risqué sa vie pour me sauver.

— C'est une piste intéressante, estima Amy. Nous étions tellement obnubilés par Ethan que nous n'avons même pas étudié cette possibilité.

— Je suis restée cachée dans son appartement pendant deux semaines, rappela Ning. Je l'ai contacté sur son mobile depuis la République tchèque pour lui dire que j'étais saine et sauve. Mais quand j'ai essayé de l'appeler depuis l'Angleterre, sa ligne était suspendue.

— Mmmh, marmonna Amy pour signifier qu'elle s'accordait quelques instants de réflexion. S'il est chargé des basses besognes au sein du clan, il doit régulièrement changer de téléphone. Et son adresse ?

— Je ne la connais pas, mais je devrais pouvoir localiser son immeuble sur les cartes satellites de Google Maps.

— Je dois m'entretenir avec Ted Brasker et ma supérieure, le Dr D, dit Amy. Mais comme nous devons à tout prix savoir ce qui se passe au Kremlin, je pense que nous allons creuser cette piste...

## 17. Irrespirable

Seuls deux rais de lumière lunaire tombés du toit perçaient la pénombre de la cellule. À la faveur de la nuit, d'innombrables cafards avaient investi le sol. De temps à autre, le galop discret d'un rongeur se faisait entendre dans la galerie qui traversait le bâtiment de part en part.

L'employée qui venait de servir à Ethan un plat de riz, de viande épicée et de banane cuite n'avait pas plus de quatorze ans. Elle ne parlait pas anglais, mais le considérait d'un air bienveillant. Lorsqu'il eut vidé le contenu de sa carafe, elle courut la remplir au robinet placé à l'extérieur de la prison. Compte tenu de la situation désespérée dans laquelle se trouvait Ethan, cet acte charitable lui fit monter les larmes aux yeux.

Au beau milieu de la nuit, alors qu'il tentait vainement de trouver le sommeil, il entendit des pas devant la porte à barreaux de la cellule. Lorsqu'il se redressa sur sa couchette, il vit une large silhouette plantée dans l'obscurité.

— Tu n'arrives pas à dormir ? ricana Kessie avant d'actionner l'interrupteur du plafonnier.

Vêtu d'un bas de pyjama, d'une chemise hawaïenne et de bottes en caoutchouc, il brandissait une bouteille de bière.

— Si tu es bien sage, je te tuerai rapidement, quand le moment sera venu.

N'ayant plus rien à perdre, Ethan décida de jouer franc jeu.

— Quel accord avez-vous passé avec Leonid ? demanda-t-il.

Kessie but deux longues gorgées au goulot de sa bouteille.

— Je suis né dans le fumier, mon gars, dit-il. Il n'y avait rien ici, avant. Ce ranch, je l'ai construit de mes propres mains, et ce sont les avions de Leonid qui ont acheminé les matériaux de construction.

— Et tous ces animaux, à quoi sont-ils destinés ?

— Ça, c'est à mes clients d'en décider. Je peux les livrer morts, vivants, empaillés ou en descente de lit. J'ai de l'ivoire, du cuir, et même de la corne de rhinocéros pour réveiller la virilité des Chinois. C'est un énorme marché, là-bas. Il y a aussi le business des safaris. Ces types pleins de fric sont trop feignants pour traquer une bestiole pendant trois ou quatre jours dans la brousse, alors on leur lance des animaux d'élevage dans les pattes. Comme ça, même un type obèse incapable de marcher un kilomètre peut accrocher un trophée au-dessus de sa cheminée.

— Les affaires marchent parfaitement, si je comprends bien, dit Ethan. Et je suppose que ces safaris vous permettent de légitimer vos activités de contrebande.

— Tu es un petit malin, Ethan Aramov !

— Contrairement à Leonid. Les gens ont peur de lui, mais il est bête à manger du foin. C'est ma grand-mère qui a toujours mené la danse. Elle a beau être vieille et malade, elle vous écrasera comme des insectes quand elle apprendra ce que vous avez fait.

— Nous avons préparé ce coup pendant des mois, lança Kessie.

— Procurez-moi un téléphone, dit courageusement Ethan. Elle vous offrira le double de ce que Leonid a promis de vous verser. À l'heure qu'il est, elle doit savoir que je ne suis jamais arrivé à Dubaï.

Kessie éclata de rire.

— Le consultant en éducation est aux ordres de Leonid. Il a informé la direction de l'école que tu étais malade, et que tu manquerais deux à trois semaines de cours. Quant à ta grand-mère, il lui fera savoir que les élèves n'ont pas le droit de communiquer avec leurs parents durant leur période d'adaptation. Désolé, mon gars, mais quand les gens du Kremlin commenceront à s'inquiéter de ton sort, il sera trop tard.

En dépit de la terreur que lui inspirait cette révélation, Ethan s'efforça de parler d'une voix ferme.

— Je vous conseille de réfléchir sérieusement à mon offre. Vous avez une chance de sauver votre peau.

Kessie éclata de rire.

— Oh mon Dieu, je suis absolument mort de trouille ! Je crois que je vais en faire des cauchemars. Tiens, tu peux finir ma bière. Ton sketch était génial. Tu l'as bien méritée.

Il glissa la bouteille entre les barreaux de la porte et la laissa tomber sur le sol de la cellule.

— Fais de beaux rêves, Ethan Aramov ! lança Kessie avant de tituber vers la porte du bâtiment.

∴

Cela faisait plusieurs jours qu'Ethan se trouvait dans la minuscule geôle. Outre l'ennui qui l'accablait, il souffrait de terribles maux de ventre. Il n'avait eu d'autre visiteur que la jeune fille chargée de lui procurer nourriture et eau potable.

Michael fit irruption dans sa cellule dans l'après-midi du quatrième jour. Convaincu que Leonid avait ordonné son exécution, Ethan recula contre le mur du fond. En vérité, il ne craignait pas vraiment cette échéance. Privé de tout espoir, il voyait la mort comme le seul moyen de quitter sa prison.

— La fille des cuisines avait raison, dit le jeune homme avant d'enfouir la partie inférieure de son visage dans l'encolure de son T-shirt.

Un jeune garçon entra à son tour puis, comme saisi d'effroi, rebroussa aussitôt chemin.

— Qu'est-ce qui se passe ? demanda Ethan.

— L'air est irrespirable, dit Michael sur un ton accusateur. La fille de la cuisine ne supporte plus cette odeur. Elle refuse de t'apporter tes repas.

— Ce n'est pas ma faute, répliqua Ethan. Je n'ai pas de quoi me changer ni me laver, je n'ai aucun moyen de vider mon seau, et en plus, on dirait que mon système digestif ne supporte pas la nourriture du coin.

— Prends ton seau et sors de là, ordonna Michael.

Ethan chaussa ses baskets et souleva le récipient rempli d'excréments et de vomissures. Affaibli par la maladie, il constata que ses jambes pouvaient à peine le porter.

Lorsqu'il sortit de l'abri, incapable de supporter l'éclat du soleil, il dut fermer les yeux et replier un bras sur son visage.

— Nettoie la cellule au jet d'eau et à l'eau de Javel, lança Michael à l'adresse du garçon avant de se tourner vers Ethan. Toi, suis-moi.

Ethan parcourut deux cents mètres à l'aveuglette, puis ses yeux finirent par s'habituer à la luminosité. Il réalisa alors qu'il suivait un chemin menant à un cours d'eau tumultueux d'une dizaine de mètres de large. Sur la rive opposée, une vingtaine d'individus s'affairait autour de barils contenant des produits chimiques et de cadres de bois où séchaient des peaux de bêtes.

Par contraste avec les enclos parfaitement entretenus qui abritaient les animaux, la rivière charriait des eaux brunâtres. La berge était jonchée de déchets de tous ordres agglomérés dans une mousse blanchâtre.

Michael conduisit Ethan jusqu'à une cabine de douche à ciel ouvert qui jouxtait les deux dortoirs des employés de Kessie.

— Frotte bien, ordonna-t-il en désignant une savonnette incrustée de poils. Ensuite, tu laveras tes vêtements puis tu rinceras ton seau dans la rivière.

Au comble de l'embarras, Ethan dut se dénuder devant son geôlier. Il saisit le seau, entra dans la douche et entreprit de le vider.

— Tu es débile ou quoi? gronda Michael. Pas ici. Dans la rivière, j'ai dit!

Ethan se traîna vers le cours d'eau. Lorsqu'il y plongea le récipient, il faillit être emporté par le courant.

— Si tu te casses la gueule, ne compte pas sur moi pour te repêcher!

Mais Kessie lui ayant ordonné de veiller sur son otage, il poussa un soupir puis s'empara du seau.

— Allez, c'est bon, va te laver, grogna-t-il en lui adressant une légère claque à l'arrière du crâne.

Ethan se glissa dans la cabine et tira sur la chaîne reliée à la citerne. Tandis que l'eau ruisselait sur son corps nu, il eut, pour la première fois depuis des jours, la sensation de ne plus être un animal de zoo.

Après avoir rincé le seau, Michael remarqua une jolie jeune fille d'environ seize ans qui se tenait près de la rive. Il alla à sa rencontre et lança la discussion.

Tout en frottant ses vêtements, Ethan les observa discrètement. Il ignorait tout du langage qu'ils employaient, mais leur sourire et leur attitude trahissaient l'attirance qu'ils éprouvaient l'un pour l'autre.

Il jeta un regard aux alentours. Pouvait-il profiter de l'occasion pour se faufiler entre les deux baraques, puis trouver une bicyclette ou une voiture?

Ses espoirs partirent en fumée lorsqu'un employé déboula de l'un des dortoirs. Il aboya quelques mots dans sa langue natale à l'adresse de la fille puis suspendit une serviette éponge à un crochet fixé à l'extérieur de la cabine.

Ethan supposait que l'inconnu avait proféré une menace, mais contre toute attente, l'adolescente sembla sortir de ses gonds. Elle se précipita dans sa direction.

S'ensuivit une conversation tendue dont Ethan ne comprit qu'un mot : *Kessie*. En observant plus attentivement l'inconnue, il remarqua qu'elle portait des vêtements de marque qu'une simple employée du ranch n'aurait jamais pu s'offrir. Ayant éliminé toute autre hypothèse, il supposa qu'il s'agissait de la fille du maître des lieux, et que l'individu surgi de la baraque intimait à Michael l'ordre de s'en tenir éloigné.

— Assez traîné, dit ce dernier en attrapant le jean détrempé de son prisonnier. Remets tes fringues et attrape ton seau.

De retour à la prison, Ethan découvrit que son matelas avait été placé dans une autre cellule. Il bénéficiait de meilleures conditions d'éclairage et d'un tuyau flexible équipé d'un robinet qui lui permettrait désormais de se laver et de nettoyer le sol. En outre, Michael lui remit la brosse à dents promise quatre jours plus tôt, une savonnette, une serviette et deux caleçons de rechange.

— Maintenant, tu n'auras plus d'excuses si tu pourris l'atmosphère, dit Michael, que l'altercation près de la rivière avait mis de méchante humeur. Et estime-toi heureux que je ne te passe pas à tabac.

— Je n'y peux rien, si je suis malade, gémit Ethan.

Lorsque son geôlier eut quitté les lieux, il ôta son jean, le suspendit aux barreaux de la porte puis s'assit sur le matelas. Tout bien pesé, sa dernière heure n'avait peut-être pas sonné. Pourquoi ses ravisseurs l'auraient-ils autorisé à se doucher, s'ils avaient l'intention de lui coller une balle dans la tête ?

## 18. Guerre froide

Opérer au Kirghizstan comportait des risques considérables. Le clan Aramov, avec ses soutiens dans la police, l'armée et le monde politique, y était tout-puissant. Il était vital de procéder à une refonte complète de la mission.

Amy s'était entretenue avec le Dr D, sa supérieure de l'ULFT de Dallas, et Zara Asker, directrice de CHERUB.

À l'exception d'Alfie, qui demeura à l'AAD dans l'hypothèse hautement improbable où Ethan finirait pas rejoindre Dubaï, toute l'équipe regagna le campus de CHERUB.

Pendant deux jours, Amy, le Dr D, Ted Brasker et le contrôleur de mission en chef Ewart Asker travaillèrent à une stratégie basée sur un double objectif : localiser Ethan et connaître avec précision les desseins de Leonid.

Ning et Ryan furent confiés à un expert de la CIA qui leur présenta de longs exposés concernant la culture, les langues et les coutumes kirghizes.

Ryan parlait parfaitement le russe, langue natale de son père. En revanche, Ning ne pourrait employer que l'anglais et le mandarin.

Compte tenu de la rareté des vols directs reliant Londres et le Kirghizstan, Amy, Ted, l'instructeur Kazakov et les agents durent faire escale à Saint-Pétersbourg et passer la nuit dans un hôtel de l'aéroport avant d'embarquer dans un avion à destination de Bichkek Manas International.

Amy avait suivi une brillante carrière d'agent à CHERUB, mais son expérience du commandement restait limitée. Pour cette raison, Ted Brasker fut chargé de chapeauter l'ensemble de la mission au nom de la CIA.

Ning et Amy formaient l'équipe A. Leur objectif consistait à localiser Dan, à en tirer autant d'informations que possible puis à le gagner à leur cause. L'équipe B, constituée de Ryan et de Kazakov, se chargerait d'infiltrer le Kremlin.

Les départements du contrôle de mission et de l'entraînement formaient deux entités indépendantes, mais l'opération avait été mise en place à la hâte. Au vu de son passé d'ancien membre des forces spéciales soviétiques, les autorités de CHERUB avaient estimé que Kazakov était le plus qualifié pour superviser le travail des agents sur le terrain.

Afin d'éviter tout soupçon, Amy et Ning voyagèrent en première classe. Ted, Ryan et Kazakov, eux, durent se contenter de la classe économique. Le seul grand hôtel de Bichkek était placé sous surveillance permanente des services secrets locaux et des policiers corrompus qui complétaient leur maigre paye en dépouillant les rares touristes qui s'aventuraient en ces lieux. L'agent de liaison de la CIA à l'ambassade américaine avait prévu des conditions d'hébergement plus sûres et plus discrètes.

Après un détour par l'agence de location de voitures, Amy et Ning rejoignirent une auberge de jeunesse. Ted, Ryan et Kazakov empruntèrent un taxi jusqu'à une maison de location. La demeure comportait deux étages. En dépit de sa moquette constellée de taches et d'une odeur de renfermé omniprésente, elle était idéalement située, à proximité de la route menant au Kremlin. Comme toutes les villas où vivait la population aisée de Bichkek, elle était ceinte d'un haut mur qui la masquait aux regards extérieurs.

L'agent de liaison avait également procuré à l'équipe une Toyota Corolla d'aspect passe-partout. Dans le coffre, Ted trouva un grand sac contenant du matériel d'intervention et de surveillance.

— Excellent, dit Kazakov lorsque son coéquipier en fit glisser la fermeture Éclair, dévoilant une collection de gadgets perfectionnés. J'espère que la fille de l'ambassade a été discrète, quand elle s'est procuré ces joujoux.

— Je ne la connais pas, et je ne suis pas censé la rencontrer, à moins que les choses ne tournent très mal, répondit Ted en étudiant un gilet de protection ultraléger. Tout ce que je sais, c'est qu'il ne manque rien, malgré le peu de temps dont elle a disposé.

— Mais les Aramov ont des yeux et des oreilles partout, dans cette ville. Vous autres, les Yankees, vous n'êtes pas réputés pour votre discrétion.

Ted ne réagit pas à la provocation. Amy l'avait averti que Kazakov nourrissait un profond ressentiment à l'égard des États-Unis depuis que son frère avait été tué en Afghanistan par un missile de fabrication américaine.

— Alors, par quoi on commence? demanda Ryan.

— Dès qu'il fera nuit, on roulera jusqu'au Kremlin et on essaiera de se faire des amis, répondit Kazakov. En attendant, je te conseille de te reposer.

Ryan creusa les reins et étira les bras.

— J'ai besoin de me dégourdir les jambes. Je crois que je vais faire un footing.

— Tu peux toujours cavaler en rond dans le jardin, répliqua Kazakov, mais pas question de sortir de la propriété avant que nous n'ayons reconnu les lieux. En revanche, si tu as envie de boxer, je me ferai un plaisir de te servir de sparring-partner.

Sur ces mots, il se précipita sur Ryan et le ceintura. Son adversaire se dégagea vivement puis tenta de lui porter un coup de pied, mais l'Ukrainien, qui avait parfaitement anticipé le mouvement, intercepta sa cheville puis la tordit violemment, forçant sa victime à fléchir sa jambe d'appui. Ce dernier se retrouva à plat ventre sur la moquette, genoux pliés, talons plantés dans les fesses.

— Tu t'es ramolli depuis le programme d'entraînement, sourit Kazakov. Je m'occuperai de ta remise à niveau dès que nous serons de retour au campus.

Enfin, il pinça légèrement le bout du nez de son jeune adversaire avant de le relâcher.

Lorsqu'il se remit sur pied, Ryan constata que Ted Brasker se tordait de rire.

— Qu'est-ce qu'il y a de si drôle ? maugréa-t-il.

— Le couinement que tu as lâché quand il a sauté sur toi, gloussa Ted. On aurait cru entendre un gamin de cinq ans.

— Eh ! Il fait deux fois ma taille ! Tu n'as qu'à t'y frotter, toi. Après tout, vous êtes tous les deux d'anciens commandos. Kazakov le Spetsnaz contre Brasker le Navy Seal : La Guerre froide 2, le retour !

— Je pourrais lui botter le train les mains dans les poches, ricana l'instructeur. Mais officiellement, je suis son subordonné. Il faudrait donc que je me laisse massacrer, par respect de la hiérarchie.

— Voilà qui est parler comme un vrai soldat ! s'esclaffa Ted avant de se tourner vers Ryan. Bon, blague à part, puisque tu n'es pas fatigué, tu peux m'aider à trier l'équipement. Il me faut une liste complète de ce que nous avons à notre disposition.

•••

Ning avait refoulé ses sentiments depuis plusieurs jours, mais lorsque la voiture de location atteignit le centre-ville de Bichkek, une foule de souvenirs se bousculèrent dans sa mémoire, la ramenant aux pires moments de son existence.

Un an plus tôt, elle avait découvert que son père adoptif n'était pas un honnête homme d'affaires, mais le chef d'un réseau de prostitution international. Après son arrestation, elle avait dû fuir la Chine pour le Kirghizstan, où elle avait été torturée par les hommes de Leonid Aramov avant que sa mère ne soit exécutée.

— Finalement, dit-elle, personne ne sait ce qui est arrivé à mon père.

— Non, confirma Amy. Tu as de la peine ?

— Je ne sais pas. C'est bizarre. D'un côté, quand je pense à ce qu'il a fait subir à toutes ces filles, j'ai envie de vomir. Et puis je le revois rentrer du boulot et s'affaler dans son fauteuil. Quand j'étais petite, je lui servais son whisky Coca, je grimpais sur ses genoux et je me blottissais contre lui pendant qu'il regardait les infos.

Amy emprunta une piste boueuse menant à un marché aux bestiaux.

— C'est un cul-de-sac, grogna-t-elle en étudiant l'écran du GPS.

Après quelques secondes de flottement, elle réalisa qu'elle avait commis une erreur en saisissant l'adresse sur le clavier en alphabet cyrillique.

Dix minutes plus tard, elle se rangea devant un bâtiment construit dans le plus pur style soviétique qu'un ravalement à la peinture jaune n'avait guère rendu plus attrayant. La décoration intérieure était plus recherchée, avec ses phares de voitures des années 1950 suspendus au plafond, au-dessus du comptoir d'accueil, sa musique pop diffusée à faible volume et sa cuisine collective aux murs badigeonnés de couleurs vives.

Au premier étage, les toilettes et les salles de bains communes étaient moins engageantes. Dès qu'Amy fut entrée dans la minuscule chambre meublée d'une table et de lits superposés, elle ouvrit la fenêtre afin de dissiper l'odeur écœurante qui flottait dans les airs.

— On se croirait dans un pénitencier, dit Ning. J'espère qu'on ne va pas moisir ici.

— On va prendre une douche, changer de fringues et grignoter un morceau. Ensuite, nous partirons à la recherche de Dan.

## 19. Ultimate fighting

En dépit du nettoyage effectué dans l'ancienne cellule d'Ethan, l'employée des cuisines refusait désormais d'entrer dans la prison. Sa remplaçante était une jeune femme un peu revêche d'une vingtaine d'années dont le T-shirt ajusté mettait en valeur les formes généreuses.

— Pour ton estomac, expliqua-t-elle en lui tendant une petite bouteille en plastique contenant une poudre blanche. Mélange ça à la nourriture pour masquer le goût.

— Vous parlez bien anglais. Où l'avez-vous appris ?

— À l'école, mais j'ai beaucoup progressé quand j'étais surveillante de piscine dans une résidence hôtelière, en Afrique du Sud.

— Vous devez être bonne nageuse.

L'inconnue leva les yeux au ciel.

— Évidemment.

Accablé d'ennui, Ethan ignora cette rebuffade. Il souhaitait profiter d'un peu de présence humaine avant de se retrouver seul dans la pénombre.

— C'est loin d'ici, l'Afrique du Sud ?

— Disons que je n'aimerais pas être obligée de marcher jusqu'à la frontière, répondit la jeune femme avant de poser un doigt sur ses lèvres. Tais-toi, maintenant. Tu sais bien que je n'ai pas le droit de te parler.

Ethan était ravi de l'avoir conduite à avouer que le ranch se trouvait dans un pays limitrophe de l'Afrique du Sud.

— Par pitié, essayez de me trouver un bouquin, dit-il lorsqu'elle se dirigea vers la porte du bâtiment. Je crève d'ennui, ici.

Quand elle eut quitté les lieux sans répondre à sa supplique, il considéra la barquette en polystyrène posée à ses pieds. Comme à l'ordinaire, on ne lui avait pas fourni de couverts. Jusqu'alors, il avait dû se contenter de légumes ou de restes de viande filandreuse. Aussi eut-il la surprise de découvrir une côtelette. Il supposa qu'il s'agissait d'agneau, mais compte tenu des innombrables espèces animales qui peuplaient le ranch, il n'avait aucune certitude.

Il la saisit entre le pouce et l'index, la dévora à belles dents puis en étudia l'os en forme de T. Peut-être, s'il en ôtait toute la chair puis en aiguisait la partie la plus effilée contre le sol de béton, pourrait-il en faire une arme...

.:.

Jugeant les photographies aériennes de Bichkek disponibles sur Internet insuffisamment détaillées, Amy s'était procuré d'excellentes images satellites par l'intermédiaire de la CIA. Ning ignorait l'adresse de Dan, mais elle se rappelait un bâtiment en forme de X comportant trois étages flanqué de deux constructions rigoureusement identiques. Hélas, la ville fourmillant d'habitations semblables datant de l'ère soviétique, elle dut faire appel à un autre souvenir. Deux éléments lui revinrent en mémoire. Premièrement, elle avait aperçu un petit lac depuis la fenêtre du studio. Deuxièmement, Dan n'empruntait jamais sa voiture pour se rendre au ravitaillement, preuve que sa cachette se trouvait à proximité d'un marché.

En croisant ces informations, elle définit une zone à l'est de la ville, puis repéra tous les immeubles en forme de X dans un rayon d'un kilomètre autour d'une rue commerçante décrivant un ovale. Les deux coéquipières quittèrent aussitôt l'auberge et grimpèrent à bord de leur véhicule de location.

Si le Kirghizstan était l'un des pays les plus défavorisés de la planète, le quartier sur lequel Ning avait décidé de concentrer les recherches était le plus pauvre de Bichkek. Une population en haillons s'affairait de part et d'autre de la chaussée criblée de profonds nids-de-poule propres à briser la suspension d'une voiture lancée à grande vitesse ou à immobiliser un véhicule trop lent.

Dès qu'Amy s'engagea dans la deuxième rue figurant sur la liste, Ning se dressa sur son siège.

— C'est ici, dit-elle. Range-toi derrière cet immeuble.

— Tu es sûre ?

— Oui, je reconnais les graffitis. Tu vois ces bâches derrière les poubelles ? Un vieil homme dort ici. Il survit en fouillant les ordures.

— Parfait. Le problème, c'est que deux étrangères circulant dans une voiture de location risquent de ne pas passer inaperçues. Nous ferions mieux de nous garer à quelques rues d'ici et effectuer une approche à pied.

Lorsqu'elles eurent quitté le véhicule, Ning et Amy durent progresser sur un trottoir parcouru d'innombrables fissures et enjamber des bouches d'égout dont les plaques avaient été dérobées.

— J'espère qu'on ne retrouvera pas la voiture désossée, sourit Amy. Le Dr D déteste les frais imprévus.

— Moi, j'espère surtout que Dan n'a pas déménagé, soupira Ning.

Lorsqu'elle poussa la porte de l'immeuble, une odeur de poussière et d'urine lui sauta aux narines, réveillant une foule de souvenirs douloureux. Elle conduisit sa coéquipière jusqu'au troisième étage, se figea devant la porte du studio et découvrit qu'elle avait été renforcée par une plaque métallique. Elle remarqua de profondes entailles dans l'encadrement, signe que l'habitation avait fait l'objet d'une tentative d'effraction.

— Il s'est peut-être tiré, dit-elle.

— Il n'y a qu'un moyen de le savoir, répondit Amy en pressant le bouton de la sonnette.

Elle laissa s'écouler une minute avant de tenter une nouvelle fois sa chance.

— Il est un peu plus de midi, fit observer Ning. Il doit être au travail. D'ailleurs, je ne vois pas sa voiture, sur le parking.

Amy s'accroupit afin de jeter un œil par la fente de la boîte aux lettres.

— Personne.

L'équipe ayant emprunté des vols réguliers pour se rendre au Kirghizstan, elle n'avait pas pu emporter son pistolet à aiguilles, mais elle avait glissé dans son sac à dos plusieurs crochets de serrurier et une petite clé dynamométrique.

— Ça fait longtemps que je n'ai pas forcé une porte, dit-elle en inspectant la serrure. Apparemment, il n'y a pas de système d'alarme. Tu penses qu'on devrait jeter un coup d'œil à l'intérieur?

Ning hocha la tête.

— Nous devons nous assurer que Dan vit toujours ici. Je vais faire le guet en haut de l'escalier.

Amy trouva son matériel de crochetage perdu dans un fatras de produits de maquillage. La marque des serrures avait bonne réputation, mais elle découvrit des mécanismes d'une extrême rusticité qui cédèrent après une simple manipulation.

— Finalement, la contrefaçon a ses bons côtés, sourit-elle. Suis-moi, on entre.

En découvrant le blouson suspendu au portemanteau et les baskets abandonnées près de la porte, Ning comprit que Dan n'avait pas quitté les lieux.

— La fouille doit rester discrète, avertit Amy. Concentre-toi sur les factures de téléphone. Si seulement nous pouvions mettre la main sur son nouveau numéro de mobile…

Au moment où elle passa devant la porte de la salle de bains, un bras musculeux se referma autour de son cou. Avec un calme olympien, elle saisit le pouce de son agresseur, un jeune homme vêtu d'un caleçon, le tordit de toutes ses forces puis lui porta un coup de coude en plein visage.

— Arrête, c'est Dan ! cria Ning.

Mais Amy avait déjà lancé un crochet qui toucha le garçon à l'abdomen. Ce dernier tituba en arrière, s'agrippa vainement à un rideau en vinyle et s'effondra dans le bac de douche.

— Dan, c'est moi ! s'exclama Ning.

Lorsqu'elle eut actionné l'interrupteur commandant l'éclairage et put enfin revoir le visage de celui qui lui avait sauvé la vie, elle sentit les larmes lui monter aux yeux.

En dépit de son nez sanglant et de l'état de stupeur dans lequel il était plongé, Dan lui adressa un large sourire.

— Qu'est-ce que tu fais là ? s'étrangla-t-il dans son anglais un peu haché.

Amy lui tendit un paquet de Kleenex déniché au fond de son sac.

— Oh, c'est une longue histoire, répondit Ning. Pourquoi n'as-tu pas répondu lorsqu'on a sonné ?

— J'allais prendre une douche, expliqua Dan en s'aidant du lavabo pour se redresser. Je n'allais pas me présenter nu à la porte. Lorsque je suis sorti, j'ai vu le verrou tourner, alors que je n'ai jamais confié mes clés à personne.

Une main sur le ventre, une autre sur le nez, il se traîna péniblement hors de la salle de bains et jaugea celle qui l'avait terrassé avec une facilité déconcertante. Il se laissa tomber sur une chaise, devant la petite table qui meublait son coin cuisine.

— On peut dire que vous savez cogner, dit-il à l'adresse d'Amy. Je crois que vous pourriez faire carrière dans l'*ultimate fighting*.

Elle considéra les haltères posés sur la moquette, le large écran LCD, la poussière qui recouvrait toutes les surfaces planes et les posters de femmes nues punaisés aux murs. À ses yeux, ce studio ressemblait davantage à la tanière d'un macho décérébré qu'à l'habitation d'un jeune homme prêt à risquer sa vie pour venir en aide à une parfaite inconnue.

— Tu n'aurais pas dû revenir, dit Dan en se tournant vers Ning. C'est dangereux !

— Garde ton calme. Après avoir quitté le pays, j'ai rencontré des gens bien. Amy travaille pour la CIA. Elle est chargée d'enquêter sur les activités de la famille Aramov. C'est pour ça que je l'ai conduite jusqu'à toi.

En professionnelle des interrogatoires, Amy adopta un ton rassurant.

— Je suis navrée de t'avoir blessé. Ning m'a assuré qu'on pouvait te faire confiance. Nous devons savoir au plus vite ce qui se passe au Kremlin.

— Et qu'est-ce que j'y gagnerai ?

— Que désires-tu ? De l'argent ? Suivre des études ? Changer radicalement de vie ? Je viens d'un pays riche. Crois-moi, si j'obtiens ce dont j'ai besoin, je saurai me montrer généreuse.

Dan se pencha en arrière, croisa les doigts derrière sa tête et éclata de rire.

— Personne ne sait ce qui se passe au Kremlin. Irena Aramov est très malade. Il paraît que l'infirmière s'est trompée dans le dosage de son traitement. La pauvre vieille a perdu la tête. Elle ne comprend strictement plus rien à ce qui se passe autour d'elle.

— Quand est-ce arrivé ?

— Le week-end dernier.

Ning et Amy échangèrent un regard anxieux. Cet événement coïncidait avec l'enlèvement d'Ethan. Leonid n'était sans doute pas étranger à la prétendue erreur commise par l'infirmière.

— Je fais de la muscu avec Alex et Boris Aramov, poursuivit Dan. D'habitude, ils passent leur temps à frimer et à foutre la merde. Mais depuis quelques jours, ils la bouclent, comme s'ils avaient quelque chose à cacher.

— Tu connais Ethan Aramov ?

— Qui ça ?

— Le petit-fils d'Irena. Il est arrivé de Californie l'année dernière.

— Vous voulez parler de ce gamin maigre comme un clou ?

Amy hocha la tête.

— C'est sûr, il n'a rien d'un athlète.

— Je l'ai vu trois fois, peut-être quatre, mais on ne s'est jamais adressé la parole. Il traîne toujours avec cette jolie fille… Natalka, je crois.

— Je vois.

Amy connaissait l'existence de Natalka, dont elle avait lu le nom dans la correspondance en ligne de Ryan. Entendre Dan évoquer ses relations avec Ethan démontrait qu'il avait l'intention de coopérer sans rien laisser dans l'ombre.

— Tu m'as déjà révélé des informations très importantes, dit-elle. Penses-tu que tu pourrais aller trouver Natalka et lui demander si elle a des nouvelles d'Ethan ? J'apprécierais aussi que tu ne lâches pas Boris et Alex d'une semelle, et que tu me rapportes toutes leurs activités.

Dan fronça les sourcils puis hocha la tête en direction de Ning.

— Je l'ai aidée parce que je ne supportais pas de la voir souffrir. Mais là, vous me demandez de vous servir d'espion. Si je suis découvert, les Aramov me tueront, ainsi que ma sœur et mon neveu.

Sentant son interlocuteur fléchir, Amy ne lui laissa pas une seconde de répit.

— Regarde où tu vis, Dan. Si tu acceptes de devenir mon informateur, je suis prête à verser immédiatement cinquante mille dollars sur un compte ouvert à ton nom. Ensuite, tu recevras deux mille dollars par semaine tant que durera notre association. Net d'impôts, bien entendu. De plus, si tu le désires, nous pourrons t'offrir la nationalité américaine, ainsi qu'aux membres de ta famille. Que préfères-tu ? Te faire bronzer à Miami, fréquenter une université new-yorkaise ou soulever des haltères derrière le Kremlin en compagnie d'Alex et Boris en attendant que Leonid Aramov distribue les ordres ?

— J'ai besoin de temps pour réfléchir à cette proposition.

Ning, qui avait vécu avec Dan pendant plusieurs semaines, n'était pas dupe. L'expression du garçon était éloquente : il avait mordu à l'hameçon tendu par la plus jolie femme qu'il ait jamais rencontrée.

## 20. Plan B

Après des heures passées dans la pénombre sans aucun moyen d'occuper son esprit, Ethan sentit sa raison vaciller. Il tua le temps en établissant mentalement des listes — les dix actrices les plus sexy, ses dix groupes favoris, les dix voitures les plus rapides... Il compta jusqu'à 17 492, puis se livra à un jeu consistant à cracher de l'eau sur les cafards qui cavalaient sur les murs.

Ce soir-là, les employés de Kessie s'étaient rassemblés dans une clairière, derrière la prison. Il avait retourné son seau de façon à pouvoir se hisser au niveau de la meurtrière donnant sur l'extérieur. Il suivait une partie de football disputée à la lumière des phares de deux tracteurs. L'alcool coulant à flots, le moindre tacle dégénérait en pugilat. Les ouvriers les plus âgés assistaient au spectacle assis aux abords du terrain de fortune. Les filles des cuisines formaient un cercle à l'écart. Elles discutaient avec animation et envoyaient bouler sans ménagement les fêtards qui leur faisaient des avances.

Ethan ne savait toujours pas pourquoi ses ravisseurs avaient changé d'attitude à son égard depuis le jour où Michael l'avait emmené prendre une douche près de la rivière. Depuis lors, ce dernier avait ordonné à ses hommes de s'assurer régulièrement qu'il se portait bien. Aux alentours de vingt-deux heures, il reçut la visite d'un garçon haletant et ruisselant de sueur qu'il avait vu se démener sans grand succès sur le terrain de football. Âgé d'environ treize ans, l'inconnu aux pieds nus portait un short en nylon et un maillot du FC Barcelone.

Il actionna l'interrupteur commandant le néon blafard vissé au plafond, jeta un œil à l'intérieur de la cellule puis quitta aussitôt le bâtiment. Demeuré perché sur son seau, Ethan vit son visiteur courir vers Michael, qui occupait le poste de gardien de but, et lui chuchoter quelques mots à l'oreille avant de se replacer au centre du terrain.

Le plafonnier étant resté allumé, il put enfin étudier en détail l'endroit où il se trouvait. Près de l'entrée, il remarqua le levier placé dans le sol permettant de déverrouiller d'un seul geste toutes les cellules. Chacune d'elles disposait d'un mécanisme individuel, mais Ethan étant pour l'heure le seul prisonnier, ses geôliers préféraient employer ce dispositif, plus facile à mettre en œuvre. Estimant qu'aucune prison ne se doterait d'un système aussi rudimentaire, il comprit alors que ces box avaient été conçus pour abriter des animaux.

À l'extérieur, à en juger par les exclamations qui se faisaient entendre, la fête battait son plein. Assoiffé, Ethan glissa l'extrémité du tuyau dans sa bouche et se désaltéra. Aussitôt, une idée lui traversa l'esprit. Ce flexible relié à un robinet à l'autre extrémité du bâtiment mesurait une dizaine de mètres de long, soit sept de plus que la distance qui le séparait du levier. En l'utilisant à la manière d'un lasso, il avait peut-être une chance de s'évader.

Le tuyau était fixé au robinet par une attache en plastique. Si Ethan parvenait à la briser, il lui faudrait faire preuve d'une habileté exceptionnelle pour lancer le flexible de façon à ce qu'il s'enroule autour du levier.

Et ensuite ? Même s'il parvenait à quitter la prison, avait-il la moindre chance de fuir le ranch sans être capturé par les hommes de Kessie ? S'il était repris, il recevrait sans doute une sévère correction et serait soumis à des conditions d'incarcération plus sévères encore. Mais si la stratégie de Leonid pour prendre le contrôle du clan restait obscure, Ethan savait qu'il n'était maintenu en vie que pour servir de monnaie d'échange au cas où l'affaire tournerait à son désavantage. Il était détenu depuis près d'une semaine, et savait que son existence ne tenait qu'à un fil.

Il prit une profonde inspiration, s'assit, posa les pieds sur les barreaux, enroula l'extrémité du tuyau autour de ses poignets puis commença à tirer de toutes ses forces.

∴

Ryan et Kazakov abaissèrent la banquette arrière de la Toyota, y embarquèrent tout le matériel dont ils disposaient puis le dissimulèrent sous un amas de valises, de couettes et d'oreillers. Enfin, ils coiffèrent le tout d'une vieille bicyclette rouillée dénichée dans le garage de la maison de location.

Aux alentours de vingt-trois heures, ils empruntèrent la route de montagne puis la piste gravillonneuse menant à la vallée illuminée par les balises de l'aérodrome. À l'instant où Kazakov s'immobilisa devant les portes du Kremlin, les turbulences causées par le décollage d'un avion-cargo firent vibrer la sculpture de bronze fichée sur le toit du bâtiment.

— Tu as bien retenu ton scénario de couverture ? demanda l'instructeur.

Ryan haussa un sourcil.

— Oui, *Papa*.

— Tu restes dans la voiture, dit Kazakov en allumant le plafonnier du véhicule. Je veux qu'ils puissent te voir lorsque je leur servirai mon histoire, mais mets ta casquette de base-ball de façon à ce qu'ils ne puissent pas distinguer les traits de ton visage.

En l'absence de véritable poste de sécurité, l'identité des visiteurs n'était pas systématiquement contrôlée, mais deux sentinelles en armes étaient postées devant l'édifice. Kazakov marcha d'un pas confiant vers la double porte vitrée, mais l'un des gardes fit un pas de côté de façon à lui bloquer le passage.

— Eh, ta tête ne me rappelle rien, dit l'homme en posant une main sur la poignée de sa mitraillette compacte.

— C'est normal, sourit Kazakov. Mon nom est Igor Kazlov. Je cherche du boulot dans la sécurité. C'est un type rencontré dans un café de Bichkek qui m'a conseillé de me présenter ici.

Le garde afficha une moue dubitative.

— Tu débarques à une heure pareille pour réclamer du boulot ?

— Je travaillais dans une installation pétrolière au Kazakhstan, mais le boss s'est tiré avec la caisse avant de distribuer la paye. Du coup, je n'ai plus un rond. Mon gamin m'attend dans la bagnole. Je ne demande pas grand-chose, juste gagner de quoi tenir un jour ou deux.

Le gorille lui adressa un regard compatissant et se tourna vers son collègue.

— Surveille-le, je vais voir.

Il franchit la porte puis se dirigea vers le bar, au fond de la salle de repos. En dépit des nombreux clients qui descendaient bière et vodka, l'ambiance était aussi lugubre que l'éclairage.

Quelques minutes plus tard, le garde refit son apparition accompagné du barman, un homme trapu au regard fuyant.

— Salut, lâcha ce dernier. Je suis désolé que vous ayez des ennuis, mais on n'embauche personne.

— J'ai une longue expérience professionnelle dans le domaine de la sécurité et de la protection rapprochée. J'ai d'excellentes références. Et de toute façon, je suis tellement dans la dèche que je suis prêt à faire la plonge.

— Les pilotes et les mécaniciens sont recrutés en Russie et en Ukraine. Le reste du personnel est constitué de gars du coin. Vu le taux de chômage, on s'arrache ces jobs, et il est impossible d'être embauché sans recommandation.

— Je vois, grogna Kazakov. Dans ce cas, est-ce qu'on pourrait au moins roupiller sur une banquette, près du bar ? Mon gamin a une bronchite et...

— Ce n'est pas un foyer pour sans-abri, ici, interrompit le barman, en durcissant le ton. Le foyer est réservé aux membres du personnel et à leur famille. J'ai des clients qui attendent, alors je vais devoir vous demander de partir.

— Juste une nuit... implora l'instructeur.

Mais son interlocuteur avait déjà tourné les talons.

— On a été sympas jusque-là, gronda l'un des gardes. Il faut y aller, maintenant.

Son collègue ôta le cran de sûreté de son arme.

Kazakov baissa la tête puis regagna le véhicule.

— Ça n'a pas marché ? demanda Ryan, lorsque son coéquipier se glissa derrière le volant. Honnêtement, c'était à prévoir.

— Comment ça se passe, dans le coin ?

— Il y a pas mal d'activité au niveau de l'aérodrome, mais rien du côté des collines.

— Très bien. On lance le plan B.

Ryan hocha silencieusement la tête. Kazakov tourna la clé de contact et enclencha la première. Tandis que la voiture roulait au pas devant le Kremlin, Ryan fit glisser la fermeture Éclair de son sac à dos rempli de collets de braconnier. Au fond, il trouva un petit aimant en forme de disque qu'il colla derrière son oreille à l'aide d'une pastille adhésive. Le champ magnétique créé par le dispositif activa le minuscule émetteur récepteur que Ted Brasker avait glissé dans son conduit auditif.

— Test, dit-il.

La voix de Ted résonna sous son crâne.

— Je te reçois fort et clair, mon garçon.

— Le plan A a échoué. Je vais devoir partir à la chasse.

— Compris. N'oublie pas les consignes : pas de risques inutiles. Si tu es capturé, tiens-t'en à ton scénario de couverture. Tu te souviens de tous les détails ?

— J'ai fugué après m'être engueulé avec mon père. J'ai été pris en stop, j'ai demandé qu'on me dépose dans les collines pour braconner, puis je me suis paumé.

— Parfait, dit Ted.

Kazakov immobilisa la Toyota à cinq cents mètres du Kremlin, dans une zone boisée située à l'abri des regards.

— Bonne chance, lança-t-il tandis que Ryan épaulait son sac à dos.

Ce dernier descendit du véhicule, se fondit dans la végétation et prit la direction des écuries. Il était entièrement concentré sur son objectif : récupérer la clé USB placée par Ethan dans l'ordinateur de Leonid.

# 21. À découvert

Chaque nuit, aux alentours de trois heures du matin, Ethan recevait la visite de l'un des hommes de Kessie. À moins que la procédure n'ait été modifiée, il estimait disposer du temps nécessaire à la mise en œuvre de sa stratégie d'évasion.

Il s'escrimait sans succès depuis quelques minutes. L'attache du robinet, plus souple qu'il ne l'avait imaginé, refusait obstinément de céder. Réalisant qu'il n'en viendrait pas à bout en position assise, il se leva puis tira en vain sur le tuyau avant de changer une nouvelle fois de tactique. Il le tendit au maximum, en noua l'extrémité à un barreau de la fenêtre, le saisit à deux mains et pesa dessus de tout son poids.

Aussitôt, il entendit un claquement sec, puis le son caractéristique de l'eau s'écoulant sur le sol de béton. Alors, il découvrit que l'attache avait tenu bon, et que le tuyau s'était rompu au niveau d'un collier de serrage. Il ramena le flexible, redoutant qu'il ne soit désormais trop court pour accomplir son projet. Un mètre, deux mètres, trois mètres...

Par chance, il avait cédé à proximité du robinet, mais il doutait encore de pouvoir former la boucle qui lui permettrait d'actionner le levier à distance. Il effectua quelques tentatives et constata qu'il ne disposait pas d'une longueur suffisante.

Il s'accorda quelques minutes de réflexion avant de glisser une main sous son matelas et de s'emparer de l'os qu'il avait patiemment aiguisé sur la pierre depuis deux jours. À l'aide de cet outil de fortune, il creva l'enveloppe de l'un des oreillers puis déchira une bande de tissu d'une quarantaine de centimètres avec laquelle il confectionna un nœud coulant. À peine eut-il achevé ce bricolage que la porte de la prison s'ouvrit à la volée.

Ethan souleva sa couchette et y dissimula hâtivement le tuyau. Pour la deuxième fois depuis qu'il avait été fait prisonnier, il vit Kessie se planter devant sa cellule.

— Qui t'a rendu visite, la dernière fois ? rugit-il, manifestement ivre.

Par chance, il ne vit pas la courte section de flexible qui dépassait du matelas. Il gardait les yeux rivés sur le néon autour duquel tournoyait une nuée d'insectes.

— Un garçon, gémit Ethan. Je ne connais pas son nom.

— Un garçon qui n'a pas la moindre idée de ce que me coûte l'électricité, on dirait !

Sur ces mots, Kessie actionna l'interrupteur, plongeant la prison dans l'obscurité, avant de quitter les lieux d'un pas chancelant.

Ethan lâcha un soupir de soulagement. Son geôlier se précipita vers le centre de la clairière où se disputait le match et se mit à brailler comme un possédé dans sa langue natale.

Perché sur le seau devant la fenêtre, Ethan vit Michael désigner le garçon aux jambes grêles qui avait laissé la lumière allumée. Le gamin terrifié fut traîné devant Kessie, qui le saisit par la nuque et lui porta un violent coup de genou en pleine tête.

Tandis que les employés se dispersaient, abandonnant l'enfant inanimé étendu sur le sol, Ethan descendit de son perchoir. Il n'y voyait strictement rien, mais savait par expérience que ses yeux ne tarderaient pas à s'accoutumer à l'obscurité.

Il glissa le tuyau entre les barreaux puis passa un bras dans la galerie qui distribuait les cellules. Il commença par fouetter doucement les airs à l'aide de son lasso improvisé puis lui imprima un mouvement plus ample avant de tirer d'un coup sec, à la manière d'un fouet.

Lorsqu'il eut répété ce geste à trois reprises, il se sentit prêt à tenter sa chance. Ne pouvant distinguer le levier, il ne saurait s'il avait atteint sa cible qu'en se fiant aux sons produits par le tuyau.

Après chaque essai, il le ramenait énergiquement, espérant sentir une résistance. Quarante minutes durant, il reproduisit ce mouvement sans succès. Son bras lui causait une telle douleur qu'il dut s'étendre un moment sur le matelas afin de masser son épaule martyrisée.

Ruisselant de sueur, il se remit à l'ouvrage. La couverture nuageuse s'étant dissipée, la visibilité s'était sensiblement améliorée. À sa troisième tentative, un son inhabituel se fit entendre. Il réalisa que son nœud coulant s'était accroché à l'extrémité du levier, mais il se libéra dès qu'il tira sur le tuyau.

Peu à peu, la technique d'Ethan s'améliorait. Dès l'essai suivant, le nœud attrapa le levier en son milieu. Le souffle court, il plia légèrement le poignet pour s'assurer qu'il tenait bon.

— Mon Dieu, chuchota-t-il. Faites que ça marche.

Sentant le levier résister à la traction, il accentua le mouvement. Un bruit de tissu déchiré se fit entendre, signe que le nœud coulant était en train de céder, puis un fracas métallique retentit. La tension du flexible se relâcha brutalement, précipitant Ethan en arrière sur le sol. Le tuyau, qui lui avait échappé des mains, était tombé au milieu de la galerie, hors de sa portée. Il n'aurait pas de seconde chance.

Ignorant s'il était parvenu à abaisser le dispositif commandant le déverrouillage général, il roula sur le ventre et se traîna à quatre pattes jusqu'à la porte de la cellule. En théorie, elle aurait dû s'ouvrir automatiquement, mais des excréments séchés en bloquaient le mécanisme. Le cœur battant, Ethan saisit les barreaux à pleines mains et poussa latéralement. La grille coulissa librement.

Comme dans un rêve, il se redressa d'un bond et s'engagea dans le couloir inondé. Une mare s'était formée à proximité du robinet. Il saisit le morceau de tuyau qui y était demeuré attaché et but quatre longues gorgées. S'il avait réussi à quitter sa cellule, il était loin d'être tiré d'affaire. Tremblant de peur et d'épuisement, il prit une profonde inspiration et murmura :

— Qu'est-ce que je vais faire, maintenant ?

...

Échaudé par l'échec de sa première mission de grande ampleur, Ryan était déterminé à prouver sa valeur. À en croire les propos de Dan rapportés par Ning, les enfants de la région de Bichkek s'aventuraient fréquemment dans la vallée d'où le clan Aramov conduisait ses opérations. Ceux qui se faisaient pincer à braconner s'en tiraient avec quelques claques. Seuls les voleurs et les vandales recevaient une sévère punition.

Pourtant, Ryan, qui progressait dans l'obscurité en territoire inconnu, n'en menait pas large. Ne pouvant se permettre d'être capturé en possession de matériel sophistiqué, il n'avait pu emporter dans son sac que quelques collets et une bouteille d'eau. Il devait s'en remettre au GPS de son BlackBerry et à l'émetteur-récepteur logé dans son oreille.

— Tout va bien ? demanda Ted Brasker.

— Il pleut, répondit Ryan. J'ai ramassé un paquet de flotte dans les sous-bois.

— Les écuries se trouvent à quatre cents mètres, droit devant toi. Amy est en position à l'endroit prévu pour l'exfiltration.

— Compris.

Pour atteindre son objectif, Ryan devait traverser une clairière et s'exposer à découvert. Compte tenu du rôle qu'il était censé endosser, il n'était pas question de courir. Aussi se contenta-t-il de franchir cette percée d'un pas vif puis de continuer à travers bois.

La vallée était enchâssée au cœur d'un massif montagneux où aucun véhicule ne pouvait circuler. Les hommes de Leonid s'y déplaçaient à cheval, arme en bandoulière, vêtus d'un uniforme rappelant celui de la police.

À l'orée de la forêt, Ryan aperçut un garde monté qui patrouillait au pas sur le sentier longeant les écuries. L'homme contourna le bâtiment principal puis disparut derrière la baraque qui abritait les services administratifs.

— Comment ça se passe ? demanda Ted Brasker.

— Je vois un type à cheval. Je pense qu'il s'agit d'une ronde de routine. Je suis assis au pied d'un arbre. J'ai les fesses trempées.

— Mon pauvre petit, ironisa le Texan. Je te préparerai des cookies et du chocolat chaud quand on sera de retour à la maison.

Le cavalier réapparut dans le champ de vision de Ryan. Il s'était engagé sur une piste étroite qui se perdait dans les collines.

— La voie est libre. J'y vais.

En passant devant les écuries, Ryan remarqua que l'un des box était éclairé. À l'intérieur se trouvaient un homme et une femme portant des tabliers tachés de sang.

— Des vétérinaires. Je pense qu'une jument est en train de mettre bas.

— OK. L'opération est annulée. Évacue les lieux immédiatement.

— Négatif. Ils sont à une trentaine de mètres. Ils ne peuvent pas me voir.

— Ryan, tu dois suivre les consignes, insista Brasker. Tu te trouves en territoire hostile. Dès que tu seras entré dans la baraque, ton scénario de couverture ne vaudra plus un clou.

— J'ai des problèmes de réception, mentit Ryan. Tu peux répéter ?

Ryan jeta un œil à la fenêtre du bureau de Leonid. À travers les stores vénitiens, il aperçut l'angle d'une table et un pan de mur orné de trophées de chasse.

— Je sais parfaitement à quoi tu joues, petit, gronda Ted. Nous nous sommes mis d'accord avant la mission. Tu dois quitter les lieux en cas de présence ennemie. C'est un ordre, tu m'entends ?

Ryan leva les yeux au ciel et lâcha un soupir de frustration. Si Ethan avait bel et bien placé le second ordinateur de son oncle sous surveillance, et si la clé USB n'avait pas été découverte depuis son départ, elle se trouvait de l'autre côté du mur, à moins de quatre mètres de sa position. Peut-être recelait-elle des informations capitales concernant l'endroit où son camarade était retenu. Hélas, les agents de CHERUB qui désobéissaient aux ordres de leur hiérarchie ne faisaient pas de vieux os dans l'organisation. Compte tenu de l'échec qu'il avait essuyé lors de sa première mission, il n'avait guère le choix.

— Compris, dit-il. Je fais demi-tour vers la vallée.

Il jeta un coup d'œil à gauche et à droite puis se dirigea vers la zone boisée la plus proche. À peine eut-il parcouru dix mètres qu'il entendit une exclamation en kirghiz, pile dans son dos. Un coup de feu claqua et une balle fila au-dessus de sa tête.

Il plongea à plat ventre. Un garde à cheval braqua le faisceau d'une lampe dans sa direction puis aboya d'autres paroles inintelligibles.

— Je suis russe ! hurla Ryan avant de rouler sur le dos et de placer les mains au-dessus de sa tête en signe de reddition.

— Lève-toi et tourne-toi vers moi, ordonna l'homme.

Ryan ignorait si l'individu qui le tenait en joue était celui qu'il avait aperçu depuis les bois, mais il reconnut au premier coup d'œil le jeune homme athlétique qui se tenait à ses côtés. Il en avait étudié la photographie lors de la préparation de la mission.

— Tu es dans la merde, gamin, lança Boris Aramov en brandissant la matraque qu'avait utilisée Leonid pour corriger Ethan, un mois plus tôt.

— Je suis perdu, gémit Ryan.

Boris haussa les épaules.

— Peu importe. Tout ce que je sais, c'est que je n'ai pas trouvé de filles en ville, et qu'il n'y a rien de potable à la télé. Avec toi, je sens que je ne vais pas m'ennuyer.

## 22. Amina

Après s'être désaltéré, Ethan ferma le robinet et jeta un œil à la cellule reconvertie en local à outils. En fouillant parmi le matériel d'arrosage et les sacs d'engrais, il trouva un outil semblable à une petite fourche à trois pointes et estima qu'elle ferait une arme plus efficace que son os de mouton.

Les ouvriers de Kessie ayant battu en retraite dans leurs dortoirs, la clairière était déserte. Il savait peu de chose de sa localisation géographique : il se trouvait dans un pays limitrophe de l'Afrique du Sud, à proximité d'une ville de taille moyenne aperçue au cours des minutes précédant l'atterrissage sur la piste privée.

Il ignorait dans quelle direction se trouvait cette agglomération, mais il se souvint du fleuve boueux près duquel il s'était douché. Compte tenu du nombre de déchets qu'il avait aperçus sur ses berges, il supposait qu'il suffirait d'en remonter le cours pour atteindre une zone urbanisée.

Au fil des jours passés dans la plus extrême solitude, Ethan avait longuement réfléchi à la stratégie à mettre en œuvre lorsqu'il aurait recouvré la liberté. Compte tenu de la couleur de sa peau, il n'avait aucune chance de se fondre dans la foule. Sa seule option consistait à se procurer un téléphone puis à contacter Irena, ou tout autre occupant du Kremlin resté loyal à sa grand-mère.

Ne disposant pas de montre, il supposait qu'il devait être environ une heure du matin. Si personne ne le voyait quitter le ranch, il lui restait trois heures avant que sa disparition ne soit constatée, et quatre heures et demie avant le lever du jour.

Il rejoignit la rivière puis trottina sur la berge jusqu'à ce qu'il puisse entendre des voix provenant des dortoirs. Il s'approcha du pont de fortune constitué de planches posées en équilibre sur des rochers. Le cours d'eau exhalait une odeur fétide. Réprimant un haut-le-cœur, Ethan rejoignit la rive opposée encombrée par les cuves où les peaux d'animaux étaient nettoyées.

Il envisagea d'emprunter le pick-up cabossé garé tout près de là, mais il n'avait pas la moindre idée de la manière dont il pourrait faire démarrer le moteur sans clé de contact. En outre, son expérience de la conduite se limitait à quelques heures de karting offertes par sa mère à l'occasion d'un anniversaire.

Ethan se trouvait en terrain découvert mais il put atteindre sans encombre la clôture de fil de fer barbelé qui ceignait le ranch de Kessie. Il resta en arrêt devant un panneau de couleur jaune. Les grandes lettres noires formaient des mots inconnus, mais le symbole qui les accompagnait — une silhouette humaine frappée par un éclair — ne laissait guère de doute : l'enceinte était électrifiée.

Ethan étudia la portion de clôture qui croisait la rivière. À cet endroit, les eaux pestilentielles empruntaient une courte canalisation souterraine. Estimant qu'il ne risquait pas de se noyer compte tenu de la faible profondeur, il décida de tenter sa chance.

Le cœur au bord des lèvres, il se laissa tomber dans le cours d'eau, s'accroupit devant la conduite, baissa la tête puis avança prudemment sur le béton tapissé d'algues gluantes en prenant soin de ne pas toucher les parois grouillantes de vers.

Lorsqu'il put enfin se redresser et gravir la berge, il jeta un coup d'œil circulaire aux environs. Trois cents mètres sur sa gauche, il aperçut l'entrée principale du ranch, ainsi que la courte piste qui la reliait à une autoroute à quatre voies.

Ethan envisagea d'emprunter la bande envahie par la végétation qui séparait la rivière de l'autoroute, mais il redoutait d'être confronté à un serpent, à un crocodile ou à l'un de ces monstres affamés de chair humaine qui, le croyait-il, hantaient cette partie du monde.

En s'approchant du carrefour où la piste rejoignait l'autoroute, il découvrit une aire de stationnement sommairement aménagée où des conducteurs de triporteurs motorisés attendaient d'hypothétiques clients. À cette heure de la nuit, les rares individus qui hantaient les lieux venaient d'être déposés après une virée en ville et éprouvaient des difficultés à tenir debout.

Préférant éviter cette faune, Ethan fit marche arrière, coupa à travers la végétation puis se posta derrière le rail de sécurité de l'autoroute. Les automobilistes qui y circulaient conduisaient pied au plancher à bord de véhicules déglingués.

Il surveilla longuement la circulation afin de déterminer s'il avait la moindre chance d'atteindre le terre-plein central. Il était sur le point de s'élancer lorsqu'un son écœurant provenant d'un taillis tout proche parvint à ses oreilles. Lorsque le faisceau d'un phare balaya la scène, il aperçut une jeune femme qui, jambes écartées, rendait tripes et boyaux. Elle se redressa, s'essuya le visage avec un mouchoir en papier puis aligna quelques pas mal assurés avant de se laisser tomber sur les fesses et d'éclater en sanglots.

Jambes fléchies, Ethan approcha à pas de loup de l'inconnue. Un deuxième véhicule éclaira son visage, révélant un œil poché et des traces de griffures. S'il éprouvait quelque pitié à son égard, il lorgnait surtout sur le sac à main qu'elle serrait contre sa hanche. S'il parvenait à s'en emparer, il y trouverait sans doute de l'argent et un téléphone mobile.

En dépit de la peur qui le tenaillait, il lui fallait une fois de plus prendre une décision capitale. La situation lui faisait l'effet d'une équation mathématique insoluble. Bravant sa nature réfléchie, il s'élança vers la femme, prêt à lui arracher son sac à la volée.

À sa grande stupéfaction, sa victime se jeta littéralement sur lui, passa un bras autour de son torse et le plaqua au sol. L'instant suivant, il se retrouva immobilisé, une main serrée sur sa gorge.

— Tu devrais t'inscrire dans un club de gym, face de craie, cracha l'inconnue en anglais avant de planter un coude dans son abdomen. Un vrai squelette !

Le souffle coupé, Ethan considéra le visage grimaçant de la femme. Son haleine empestait l'alcool. À en juger par ses ongles vernis et sa tenue provocante, il supposa qu'il avait affaire à une prostituée.

— Qu'est-ce que tu fabriques, petit Blanc ?

— Je cherche un moyen d'aller en ville, bredouilla Ethan.

— Et tu as essayé de piquer mon sac.

Ses yeux étincelaient comme des billes de verre. Ethan comprit qu'elle ne s'était pas contentée de consommer de l'alcool.

— Non. Vous étiez malade. Je pensais que vous aviez besoin d'aide.

— Sale petit merdeux, gronda-t-elle en accentuant la pression sur son cou. Tu crois vraiment que je serais en train de traîner dans ce coin si j'avais du fric dans mon sac ?

— Eh, Amina ! cria un homme.

— Merde, s'étrangla l'intéressée avant de relâcher son étreinte. Pas un geste, pas un bruit, ou je te massacre.

— Amina, répéta la silhouette qui fendait l'herbe haute d'un pas lourd avant de lancer quelques mots dans la langue du pays.

La jeune femme cracha à la manière d'un chat.

— C'est le type qui vous a dérouillée ? demanda Ethan.

— Bien vu, Sherlock, grogna-t-elle en ramassant la petite fourche qui avait échappé des mains du garçon.

Elle se redressa péniblement et fit de son mieux pour se tenir debout en dépit de son alcoolémie élevée. L'individu qui progressait dans sa direction n'était pas plus grand qu'Ethan, mais c'était une véritable boule de muscles. Il portait une chemise violette à jabot et, en dépit de l'obscurité, une paire de lunettes de soleil à monture dorée et verres miroir. Il écarta largement ses bras tatoués dans un geste de pardon. Amina le laissa approcher, brandit la fourche qu'elle tenait derrière son dos et la ficha dans les côtes de l'inconnu qui s'effondra comme une masse. Elle lâcha une pluie d'insultes puis maintint fermement sa victime au sol en plantant un talon aiguille dans sa poitrine.

Tandis que l'homme poussait des hurlements à glacer le sang, elle le dépouilla de son portefeuille, de ses cigarettes et de son téléphone portable. Elle lâcha une ultime menace dans sa langue natale puis se tourna vers Ethan en agitant une liasse de billets.

— Je retourne en ville, blanc-bec, et je vais avoir besoin de quelqu'un pour m'aider à tenir debout.

Ethan s'accorda quelques secondes de réflexion avant de laisser Amina glisser un bras autour de ses épaules. Surpris par son poids, il sentit ses genoux fléchir, mais parvint tant bien que mal à la soutenir jusqu'à l'endroit où les triporteurs étaient stationnés.

— Tiens, je parie qu'elles vont te donner un look d'enfer, sourit la jeune femme en plaçant maladroitement la paire de lunettes sur le nez d'Ethan.

— C'était ton copain?

— Mon cousin, rectifia Amina. Il m'a emmenée en boîte, puis il s'est mis à me tabasser sous prétexte que je dansais avec un type dont la tête ne lui revenait pas.

Se trouvant de nouveau à proximité du ranch, Ethan était plus tendu que jamais. Si, par malheur, l'un des hommes de Kessie l'apercevait, tout espoir était perdu.

Le conducteur qui patientait en tête de file semblait intrigué par ce couple improbable constitué d'une femme ivre et d'un garçon maigrichon à la peau blanche, mais, trop content de trouver des clients à cette heure de la nuit, il ne fit aucune remarque.

— Où veux-tu que je te dépose ? demanda Amina.

— N'importe où, pourvu qu'on se tire d'ici, répondit Ethan en l'aidant à se hisser à bord du véhicule.

Elle souffla une adresse à l'oreille du chauffeur. Ce dernier fit vrombir le moteur deux temps puis relâcha l'embrayage. Le véhicule bondit en direction de l'autoroute dans un nuage de fumée blanche.

## 23. Un pur sadique

Après avoir ordonné au garde monté de poursuivre sa patrouille, Boris Aramov avait saisi Ryan par la capuche de son sweat-shirt puis l'avait conduit à marche forcée vers le Kremlin.

— Reste calme, dit Ted dans l'émetteur. Tiens-t'en à ton scénario. Il n'y a pas de raison de s'inquiéter.

— Je vais te *démonter* la gueule, ricana Boris avant de flanquer un coup de matraque dans les genoux de son prisonnier.

Ryan ne put esquiver, mais son jean épais amortit en grande partie le choc.

— Je peux faire de toi tout ce que je veux. Te défigurer, ou te cramer les pieds avec un fer à souder.

Ryan, qui avait étudié des notes de synthèse concernant tous les membres de la famille Aramov, savait qu'il avait affaire à un pur sadique. Il pensait être conduit directement au Kremlin, mais son tourmenteur le poussa jusqu'à la cour grillagée où étaient installés les appareils de musculation.

Malgré l'heure tardive et le crachin qui tombait sur la vallée, un garçon aux cheveux blonds sculptait ses biceps en soulevant des haltères de trente kilos.

— Eh, Vlad, lança Boris. Qu'est-ce que tu fous là ?

— J'arrivais pas à dormir.

— Je te présente mon nouveau jouet. Ce gamin traînait du côté des écuries. Je crois que je vais bien me marrer. Je vais lui faire comprendre qu'on ne se promène pas sur le territoire des Aramov sans en subir les conséquences.

Boris leva la matraque et l'abattit sur les reins de son prisonnier.

Jusqu'alors, Ryan n'avait opposé aucune résistance. Après tout, selon les informations que Dan avait transmises à Ning, les intrus surpris dans le périmètre du Kremlin n'encouraient que des claques et des menaces verbales. Mais il venait d'essuyer des coups extrêmement violents que Boris semblait considérer comme une simple mise en bouche.

Ce dernier le força à s'allonger à plat ventre sur un banc de musculation, puis il tira brutalement sa tête en arrière.

— Personne ne sait que tu es ici, ricana Boris. Je pourrais même te liquider, si ça me chantait.

Il se tourna vers Vlad.

— Où sont les sept et demi ?

Son camarade désigna deux haltères posés à l'écart du banc. Boris se baissa pour s'en saisir. Ryan en profita pour jeter un bref coup d'œil aux alentours. La façade du Kremlin se trouvait à une centaine de mètres. Amy était censée l'attendre dans les collines, à l'est de la vallée, à un kilomètre de là.

Il envisagea de prendre la fuite, mais Vlad et Boris étaient tous deux plus âgés que lui et en bonne forme physique. Même s'ils ne parvenaient pas à le rattraper, ils alerteraient les services de sécurité du clan. Il n'avait d'autre solution que de les mettre hors d'état de nuire.

Boris, un haltère dans chaque main, boxa joyeusement les airs.

— Tu vas le tuer, si tu le frappes avec ces trucs, avertit Vlad.

— Ne me dis pas ce que j'ai à faire.

Il frappa les poids l'un contre l'autre comme s'il s'agissait de gants de boxe puis se dirigea vers Ryan.

— Lorsque j'en aurai terminé avec lui, il me suppliera de l'achever.

Ted, qui n'avait rien manqué de ces échanges, était affolé par ce qu'il entendait.

— Il faut que tu te tires ! s'étrangla-t-il.

— Ça ne m'avait pas échappé, chuchota Ryan tandis que Boris armait un direct du droit.

Il effectua une roulade latérale une fraction de seconde avant que l'haltère frappe le capitonnage gainé de skaï du banc. Dans l'impossibilité de se saisir de son adversaire, Boris s'assit à califourchon sur le banc et tenta de le bloquer à l'aide de ses jambes. À l'instant où Ryan parvint à se redresser, il reçut un formidable coup à la cage thoracique. Le souffle coupé, il tituba sur le côté et heurta le râtelier où étaient alignés barres et poids.

— Eh, mais c'est qu'il se défendrait ! sourit Boris. Finalement, je crois que je vais *vraiment* le buter.

Sur ces mots, il lança un uppercut, mais son geste se trouva ralenti par la pesanteur de l'haltère, si bien que Ryan eut le temps d'esquiver le coup et de se mettre à l'abri derrière le râtelier. Boris tenta d'ajuster son attaque, mais son arme percuta la structure de métal.

Le choc se répercuta de ses phalanges à son épaule, provoquant une vive douleur qui le contraignit à lâcher l'haltère droit. Ryan, qui peinait à reprendre son souffle, se suspendit à la barre horizontale qui assurait la stabilité du râtelier et lança un spectaculaire coup de pied circulaire qui atteignit Boris à la tempe gauche, le plongeant dans un profond état d'hébétude. Il s'empara d'un petit haltère de quatre kilos, lui disloqua la mâchoire et l'envoya rouler sur le sol sans connaissance.

Vlad, qui s'était glissé derrière Ryan, referma les bras autour de sa taille et le souleva de terre. Ce dernier tourna la tête et plongea les dents dans son biceps hypertrophié.

Sourd à la douleur, le jeune homme ne lâcha pas prise. Il plaqua sa victime sur le banc puis chassa l'air de ses poumons en se jetant sur lui de tout son poids. Ryan espérait exploiter l'élan de son opposant pour exécuter une manœuvre de projection, mais Vlad lui porta un coup de poing à l'endroit précis où Boris avait placé sa première attaque.

La douleur fut si vive qu'il perdit momentanément toute notion de l'espace et du temps. Lorsqu'il recouvra ses esprits, il vit Vlad reculer en poussant un râle d'agonie. Sans savoir ce qui venait de se produire, il se détendit comme un ressort, planta un pied dans l'abdomen de son ennemi puis lui porta un coup de genou à l'entrejambe.

Lorsque Vlad tomba à quatre pattes, Ryan ramassa l'un des haltères dont s'était servi Boris et l'assomma d'un grand coup à l'arrière du crâne. Alors, il réalisa que Ted s'époumonait dans l'émetteur depuis plusieurs secondes.

— Ryan! Réponds-moi! Ryan! Ryan!

Il fit un tour sur lui-même afin de s'assurer qu'il n'était plus menacé.

— Je me dirige vers le point de rendez-vous. J'y serai dans dix minutes, quinze grand maximum.

— Bien reçu, répondit Ted.

Ryan ne comprenait toujours pas pourquoi Vlad avait lâché prise. Ce n'est qu'en examinant son sweat-shirt qu'il découvrit un morceau de plastique ensanglanté qui saillait de sa poche déchirée. En y glissant la main, il comprit que la coque de son BlackBerry avait explosé sous le coup de son adversaire, lui entaillant profondément le poing. Hélas, plusieurs éclats s'étaient également logés entre ses côtes.

L'adrénaline lui avait permis de faire face à ses assaillants, mais tout danger étant provisoirement écarté, il éprouvait désormais de vives difficultés à respirer.

— Je suis salement amoché, dit-il en parvenant difficilement à enchaîner quelques foulées. Je crois que j'ai plusieurs côtes cassées…

## 24. East Kanye

Tandis qu'Ethan tentait tant bien que mal de dissimuler son visage, le triporteur traversa un faubourg constitué d'abris en tôle entassés les uns sur les autres, puis atteignit une zone résidentielle dont les habitations évoquaient les quartiers modestes de Los Angeles.

En déchiffrant les rares panneaux rédigés en anglais et en langue locale, Ethan apprit qu'il se trouvait à East Kanye, et que le véhicule se dirigeait vers le centre-ville et la place du Gouvernement. En ces premières heures du jour, les rues étaient presque désertes. Seul signe de vie, de la musique poussée à plein volume parvenait à ses oreilles chaque fois que le véhicule passait devant la façade d'un bar ou d'une discothèque.

Amina, qui s'était endormie quelques secondes après s'être laissée tomber sur la banquette, fut tirée de sa torpeur par le cahot provoqué par un nid-de-poule. Elle écarquilla les yeux, l'air égaré, puis lança quelques mots à l'adresse du chauffeur. Ce dernier tourna à gauche et s'arrêta dans une rue bordée de boutiques aux enseignes multicolores et aux vitrines masquées par des rideaux de fer.

Au loin, un orchestre interprétait un air répétitif. Un chien à trois pattes fouillait dans une poubelle renversée. Amina régla la course puis Ethan l'aida à descendre du triporteur.

Lorsque le chauffeur se fut remis en route, elle fit quelques pas avant de s'écrouler dans un amas de caisses en plastique.

— Où allez-vous ? demanda Ethan en l'aidant à se relever.

Elle désigna une devanture peinte en jaune flanquée d'une porte métallique. Lorsqu'elle eut maladroitement jonglé avec ses clés, ils empruntèrent un escalier raide et étroit dont les murs étaient pavoisés de câbles électriques.

À leur passage, l'un des occupants du premier étage, un vieillard chétif vêtu d'un bermuda et chaussé de claquettes, entrouvrit sa porte. Il lança quelques mots en langue locale puis, découvrant le visage d'Ethan, s'exprima en anglais.

— À ton âge ! cracha-t-il. Tu devrais avoir honte. Quoi qu'il en soit, je vous prie de faire moins de bruit.

Amina le fusilla du regard puis, plaçant les mains sur sa poitrine, remonta ses seins de façon provocante.

— Occupe-toi de tes fesses, vieux dégueulasse.

— Je vais appeler la police. Je ne plaisante pas.

Amina tenta de lui adresser un doigt d'honneur, mais ce simple geste suffit à la déséquilibrer, si bien qu'elle se cogna le crâne contre la rambarde et lança un concert de jurons.

— C'est le Seigneur qui t'a punie, sale traînée !

Lorsque la jeune femme eut réussi à se hisser jusqu'au palier supérieur, elle déverrouilla la porte de son studio, fit deux pas en avant puis s'affala sur le sol. La pièce était vieillotte mais propre, avec son lit double jonché de coussins et ses photos de famille punaisées aux murs à la peinture turquoise écaillée. Ethan eut la surprise de découvrir une penderie garnie de jupes et de chemisiers sévères impeccablement repassés, ainsi qu'un diplôme sous verre au nom d'Amina Malhapsa décerné par l'Institut des ponts et chaussées du Botswana.

— Vous avez soif ? demanda-t-il.

Sa question étant demeurée sans réponse, il s'accroupit à son chevet, souleva l'un de ses bras et constata qu'elle avait perdu connaissance. Il plaça un oreiller sous sa tête, marcha jusqu'au coin cuisine et chipa une cannette de Coca dans le réfrigérateur.

Son T-shirt était maculé de vomissures, et l'épaule qu'il avait dû maintenir plaquée contre les barreaux de la cellule lors de son évasion le faisait atrocement souffrir. Après s'être accordé deux minutes pour terminer son soda et reprendre son souffle, il s'empara du sac d'Amina et en explora le contenu.

N'importe quel mobile bas de gamme aurait fait l'affaire, mais il eut la surprise d'y trouver un Samsung en excellent état. En étudiant l'écran, il découvrit qu'Amina avait reçu plusieurs appels en absence. Il les ignora, lança Google Maps puis effleura l'icône *Ma position*.

L'indicateur de réception du signal n'indiquant que deux barres, la carte mit presque deux minutes à s'afficher. Il pinça l'écran pour dézoomer et découvrit qu'il se trouvait au centre de Kanye, au Botswana, à cinquante kilomètres de la frontière sud-africaine et moins de trois cent cinquante kilomètres de Johannesburg.

Fort de cette information, il prit la décision de contacter le Kremlin, puis réalisa que s'il connaissait le numéro de téléphone du standard et le poste de la plupart des membres de la famille, il ignorait l'indicatif du Kirghizstan.

Il lança le navigateur Internet, mais le réseau était si faible qu'il ne parvint même pas à charger la page d'accueil. À trois reprises, le message *Échec connexion* apparut à l'écran. Soudain, le téléphone se mit à vibrer puis une mélodie de harpe se fit entendre.

Comme par réflexe, Ethan décrocha et porta l'appareil à son oreille. Des hurlements se firent entendre à l'autre bout du fil. Dans ce flot de paroles en langue locale, il reconnut quelques jurons en anglais, ainsi que les mots *garçon blanc*.

Il raccrocha aussitôt, puis décida de joindre le service des renseignements. Ignorant quel numéro il devait composer, il entreprit de fouiller le studio à la recherche de documentation.

Le tiroir de la table de nuit débordait de factures. Tout au fond, il trouva un livret bilingue décrivant le fonctionnement du Samsung et y dénicha le numéro de l'assistance téléphonique. Après deux minutes d'attente, il fut mis en relation avec un opérateur indien qui lui expliqua qu'il n'entrait pas dans ses attributions de transmettre les indicatifs internationaux et lui communiqua le numéro des renseignements.

Après avoir contacté ce service, Ethan put enfin composer le numéro du standard du Kremlin. Il reconnut la tonalité étrange du réseau téléphonique kirghiz, un son comparable au barrissement d'un éléphant. Après trois sonneries, une annonce en russe se fit entendre.

*« Veuillez composer le numéro de poste de votre correspondant. Pour laisser un message, appuyez sur zéro. »*

Ethan enfonça les touches cinq, un et neuf. Après quatre sonneries, il entendit une nouvelle annonce préenregistrée.

*« Votre correspondant n'est pas disponible. Pour laisser un message, appuyez sur zéro. Pour joindre un autre poste, veuillez composer le numéro à trois chiffres. »*

Le cerveau d'Ethan fonctionnait à cent à l'heure. Il pouvait joindre Natalka au 315, mais elle ne serait sans doute pas autorisée à rendre visite à sa grand-mère au sixième étage. Il composa le 522, le poste de son oncle Josef.

Ce petit homme renfermé, à l'intelligence extrêmement limitée, était le fils aîné d'Irena. Lorsqu'il daignait ouvrir la bouche, c'était pour évoquer jusqu'à l'écœurement ses jeux télévisés préférés ou se vanter d'être le seul résident du Kremlin capable de réparer le système de climatisation.

— Allô ?

Ethan s'efforça de parler d'une voix calme. Il connaissait mal son interlocuteur, mais il ne le croyait pas capable de se dresser contre son frère.

— Ethan à l'appareil. Je cherche à joindre Irena, mais elle ne répond pas.

— Elle ne va pas bien. C'est à cause de cette conne d'infirmière, Yang. Elle l'a empoisonnée. Comment ça se passe, dans ta nouvelle école ?

— Grand-mère a été empoisonnée ? Elle est en état de parler ?

— Elle se remet doucement.

— D'habitude, elle est debout aux aurores. S'il te plaît, réveille-la. C'est important.

— Je préférerais que Leonid règle le problème, mais il est à l'hôpital.

— À l'hôpital ? Qu'est-ce qui lui est arrivé ?

— Il va bien, mais une espèce de malade a attaqué Boris, cette nuit. Il s'est fait casser la mâchoire, alors ils l'ont emmené à l'hôpital de Bichkek.

— Wow, lâcha Ethan. Écoute, je suis désolé d'insister, mais il faut absolument que tu ailles trouver Irena.

— Pas question que je la réveille sous prétexte que tu as le mal du pays.

Ethan entendit un bip discret. Il jeta un bref coup d'œil à l'écran du mobile et constata que la batterie était presque déchargée.

— Il *faut* que je lui parle ! s'étrangla-t-il.

— Je peux prendre un message, si tu veux. Elle te rappellera dès son réveil, mais je préfère ne pas la déranger.

Ethan reconsidéra son point de vue. Tout bien pesé, il bénéficiait d'une certaine sécurité dans le studio, et pouvait patienter quelques heures avant de parler à sa grand-mère.

— Tu as de quoi noter ? demanda-t-il en étudiant une facture de mobile trouvée dans la table de nuit.

Josef nota le numéro d'Amina avec une lenteur exaspérante.

— OK, je la préviendrai dès qu'elle sera réveillée, dit-il avant de couper la communication.

Le téléphone émit un nouveau signal d'alerte. Ethan jeta un regard circulaire à la pièce et remarqua le chargeur branché à une prise électrique, de l'autre côté du lit. Lorsqu'il eut connecté l'appareil, il s'interrogea sur l'opportunité d'appeler Ryan, le seul être au monde dont il connaissait le numéro par cœur, à l'exception de ses connaissances du Kremlin.

Il ne pourrait sans doute pas faire grand-chose pour le tirer de la situation dans laquelle il se trouvait, mais il avait peut-être fait d'importantes découvertes en étudiant les fichiers trouvés dans le PC de Leonid.

Il estima le décalage horaire entre l'Afrique et la Californie. À cette heure, Ryan devait se trouver devant son bureau, en train de faire ses devoirs. Pourtant, il tomba directement sur sa messagerie.

« *Bonjour, vous êtes bien sur le mobile de Ryan Brasker. Je suis probablement en train de m'éclater avec une bombe atomique ou de résoudre un problème sur lequel la NASA s'est cassé les dents. Laissez-moi un message, et je vous rappellerai dès que possible.* »

## 25. Un vrai gentleman

— Je n'y arriverai jamais si tu continues à te comporter comme un bébé, dit fermement Amy.

— Je n'en rajoute pas, je te jure, gémit Ryan. Ça fait un mal de chien.

Il était étendu sur le canapé de la maison louée par la CIA. Son sweat-shirt était relevé jusqu'au torse, dévoilant son ventre ensanglanté. Amy tenait une petite pince chirurgicale.

— Tu ne crois pas qu'on ferait mieux d'aller à l'hôpital, et de laisser faire une infirmière professionnelle?

Amy esquissa un sourire.

— Le seul hôpital digne de ce nom dans un rayon de deux cents kilomètres se trouve en centre-ville. Il ne fait aucun doute que Boris Aramov s'y trouve en ce moment même. Alors à moins que tu ne tiennes absolument à le retrouver, ferme-la et tiens-toi tranquille.

Sur ces mots, elle referma la pince sur un éclat de plastique de la taille d'un capuchon de stylo.

— Bloque ta respiration, je vais compter jusqu'à trois, dit-elle. Un... deux... trois.

Ryan poussa un hurlement à percer les tympans. Il se tortilla en tous sens, si bien que son genou frôla le visage d'Amy. Un filet de sang s'écoula de la blessure.

— Je crois que j'en ai terminé, dit-elle avant de déposer le fragment dans un gobelet en plastique et de tamponner la plaie à l'aide d'une compresse stérile.

— Tu es sûre que je n'ai rien de cassé ?

— Je n'ai pas de machines à rayons X sous la main, figure-toi. Mais au toucher, je n'ai rien senti.

— Je pourrais avoir un poumon perforé.

— Si c'était le cas, tu cracherais le sang, et tu n'aurais pas pu parcourir un kilomètre pour rejoindre le point d'extraction.

Ted entra dans le salon, un verre de liquide clair et pétillant à la main.

— Comment va notre patient ?

— Je viens de retirer le dernier morceau de BlackBerry, répondit Amy. Je n'ai plus qu'à poser un bandage.

— Pas de points de suture ?

Amy secoua la tête.

— Ce n'est pas joli à voir, mais c'est superficiel.

— Superficiel ? s'étrangla Ryan. La douleur est insoutenable !

— Tiens, bois ça, dit Ted en lui tendant le verre.

Le garçon considéra le liquide avec suspicion.

— Nurofen effervescent, expliqua le Texan.

— Il n'y a pas de morphine dans la trousse de soins ?

Ted et Amy éclatèrent de rire.

— Ryan, tu es le pire patient de l'univers ! lança cette dernière. La composition de la morphine est pratiquement identique à celle de l'héroïne. Une injection pourrait te soulager si tu avais eu une jambe arrachée, mais dans ton cas, un antalgique standard fera l'affaire.

Ted posa une main rassurante sur l'épaule de Ryan.

— Tu t'en es sorti comme un chef. La façon dont tu as corrigé ces deux abrutis…

Ryan trempa les lèvres dans le liquide et en trouva le goût meilleur qu'il ne le pensait.

— On ne peut pas dire que la soirée soit une réussite. Les plans A *et* B ont échoué. Nous n'avons pas récupéré la clé

USB, et j'ai failli me faire tuer. Ça ne s'est pas passé comme Dan l'avait annoncé. Ce type nous a roulés dans la farine.

— Il est réglo, le contredit Amy. Tu as eu la malchance de tomber sur Boris, voilà tout. Rien de cela ne serait arrivé si tu n'avais eu affaire qu'à un garde à cheval.

Elle farfouilla dans la trousse de premiers soins puis déchira l'emballage stérile d'une seconde paire de pinces.

Ryan se raidit.

— Je croyais que tu avais terminé !

— Tourne la tête vers le mur. Je dois récupérer l'émetteur qui se trouve dans ton oreille.

•:•

Depuis quatre-vingt-dix minutes, Ethan faisait les cent pas dans le studio. Amina n'avait pas cessé de ronfler. Il attendait qu'Irena le recontacte, mais il n'avait reçu qu'un appel, un torrent de hurlements inintelligibles.

Les hommes de Kessie avaient sans doute déjà donné l'alerte. Depuis son évasion, il avait croisé deux témoins — le chauffeur du triporteur et l'homme qui avait reçu le coup de fourche dans les côtes, au bord de l'autoroute — et les garçons à la peau blanche ne devaient pas courir les rues de Kanye.

Il ôta ses baskets, en retira les semelles et les pressa au-dessus de l'évier afin d'en extraire l'eau dont elles étaient gorgées. Il chipa dans une commode une paire de chaussettes de sport à sa taille.

Changer son T-shirt souillé de vomissures se révéla plus complexe. La plupart des vêtements d'Amina étaient outrageusement féminins et taillés de façon à mettre sa poitrine en valeur. Il finit par dénicher un sweat-shirt floqué de l'inscription *Johannesburg University*.

Enfin, il s'étendit sur le lit et contempla le plafond. Son esprit tournait à cent à l'heure. Il repensa à sa discussion téléphonique avec Josef. Ainsi, Boris avait reçu une raclée, et Leonid se trouvait avec lui à l'hôpital… ce qui signifiait qu'André était seul en compagnie de sa mère dans l'appartement familial. André, qui avait fait des pieds et des mains pour se lier à lui. André, qui était si proche d'Irena. Comment n'y avait-il pas pensé plus tôt ? Son cousin était le mieux placé pour avertir sa grand-mère.

Il jeta un œil au radio-réveil posé sur la table basse. Il attendait qu'elle le rappelle depuis plus d'une heure et demie. Compte tenu du décalage horaire, le jour devait s'être levé sur le Kirghizstan. Attendrait-il sagement que Josef transmette son message ou oserait-il contacter André ?

Après avoir essayé une dernière fois d'entrer en communication avec Irena et Josef, Ethan prit une profonde inspiration puis composa le numéro de l'appartement de Leonid.

À la quatrième sonnerie, saisi de panique, il faillit raccrocher, lorsqu'un déclic se fit entendre dans l'écouteur.

— Allô ? lança André.

Ethan parla d'une voix aussi grave que possible.

— Pourrais-je parler à Leonid Aramov ?

— Il est à l'hôpital. S'il s'agit d'une urgence, je peux prendre un message.

— Dans ce cas, serait-il possible de s'entretenir avec madame son épouse ?

Ethan trouvait sa propre imitation de voix d'adulte parfaitement grotesque. Il ne pourrait pas très longtemps dissimuler sa véritable identité.

— Elle est en bas, répondit André. Vous voulez que j'aille la chercher ?

— C'est moi, Ethan.

— Oh ! lança le petit garçon sur un ton joyeux. Alors, comment ça va, à Dubaï ? Je voulais t'appeler, mais mon père a dit qu'on ne pouvait pas te joindre pendant les premières semaines de cours, pour éviter le mal du pays.

— Écoute-moi attentivement, André. J'ai de gros ennuis. Je dois parler à Grand-mère immédiatement. Tu sais si elle est réveillée ?

— Oui, sans doute. Elle se plaint tout le temps qu'elle n'arrive pas à dormir. On t'a dit que l'infirmière s'était trompée de médicaments ? Elle est restée inconsciente pendant deux jours.

— Oui, je suis au courant. Comment va-t-elle, maintenant ?

— Elle est tirée d'affaire, mais ce n'est pas la grande forme.

— Je sais qu'il est tôt, mais il faut absolument que tu me la passes.

— Mon père l'a fait installer dans ta chambre, juste à côté de notre appartement, de façon à ce que nous puissions facilement veiller sur elle jusqu'à l'arrivée de la nouvelle infirmière. Ne quitte pas, je vais voir...

Ethan entendit des bruits de pas puis patienta deux minutes avant d'entendre enfin la voix de sa grand-mère.

— Tu n'étais pas censé m'appeler avant la fin de la période d'adaptation, dit-elle sur un ton brusque.

Irena avait toujours pris la défense de Leonid. Ethan devait choisir soigneusement ses mots.

— Je ne suis jamais arrivé à Dubaï. Leonid a dérouté mon avion. Je me trouve à Kanye, au Botswana.

— Chez Kessie ? s'étrangla la vieille dame.

— Oui. Je viens de m'échapper du ranch. Grand-mère, Leonid essaye de prendre le contrôle du clan. Je crois que c'est lui qui t'a empoisonnée, pas l'infirmière.

— Non... Il n'aurait pas fait une chose pareille.

— Ouvre les yeux, bon sang. Je te répète que je suis au Botswana. Si tu ne me crois pas, contacte l'école de Dubaï. On te confirmera que je ne m'y suis jamais présenté. Leonid a tué ma mère. Il a essayé de te liquider, et il m'a kidnappé afin de disposer d'une monnaie d'échange au cas où son plan tournerait mal.

— Et quel est ce plan, selon toi ?

— Tout ce que je sais, c'est qu'il a l'intention de vider les comptes en banque du clan.

Irena changea brutalement de ton.

— Voilà donc ce qu'il avait en tête... J'avoue que je me posais certaines questions concernant l'erreur commise par l'infirmière. Yang connaît son métier, et je suis le même traitement depuis des mois. Selon le docteur, la surdose aurait pu me tuer. Par chance, j'ai été prise de vomissements, et le produit n'a pas pu se diffuser entièrement dans mon organisme.

— Il fallait que ça ait l'air d'un accident, expliqua Ethan. Tu sais, le personnel du Kremlin redoute de devoir travailler sous ses ordres, lorsque tu ne seras plus là. Il voulait se débarrasser de toi discrètement.

— Quand je pense au temps passé à essayer de les persuader que Leonid aboyait plus fort qu'il ne mordait ! Le soir où j'ai été victime de cette overdose, il m'a demandé de signer une énorme quantité de papiers, juste avant que j'aille me coucher.

— Et tu as obéi sans même les lire ? s'étrangla Ethan.

— Oui, sanglota la vieille dame. Je suis *épuisée*, mon petit. Ça ne se serait jamais produit avant que je tombe malade. Quant à ta mère... Tu as toujours cru Leonid coupable, n'est-ce pas ?

— Ça n'a pas d'importance. Il faut agir, et vite, pendant qu'il se trouve à l'hôpital. Tu crois que tu pourrais m'aider à quitter le Botswana ?

— J'ai quelques relations liées au trafic de diamants dans la région. Mais si Leonid a déjà pris le contrôle de nos avoirs...

— Grand-mère, j'ai placé un programme espion sur son ordinateur, aux écuries. Avec un peu de chance, nous pourrons connaître les numéros des comptes sur lesquels il a versé l'argent, récupérer nos fonds et changer les mots de passe.

176

— Comment dois-je procéder ?

— Il y a une clé USB branchée sur le PC des écuries. Demande à André de la récupérer. Personne ne le soupçonnera. Ensuite, il devra les transférer sur un site FTP. Je les étudierai dès que j'aurai accès à une connexion Internet.

— C'est d'accord.

— Mais tu dois d'abord m'aider à m'enfuir. Je dois être le seul garçon blanc dans cette ville, et je crois que les hommes de Kessie sont déjà à mes trousses.

— Je connais quelques pilotes dans cette région de l'Afrique, le rassura Irena. Contente-toi de te faire discret jusqu'à ce que je te recontacte. Je ne peux pas écrire à cause de mes mains tremblantes, mais je vais charger André de noter ton numéro.

— Encore une chose. Je ne suis pas certain que nous puissions faire confiance à Josef. Je l'ai eu au téléphone, tout à l'heure, et il ne t'en a pas informée.

— C'est une bonne chose à savoir. À tout à l'heure, je te repasse André.

Le petit garçon, qui était demeuré auprès de sa grand-mère pendant toute la durée de la conversation, était plongé dans la plus profonde confusion.

— Ça y est, j'ai de quoi noter. Dis-moi, mon père a fait un truc moche ?

— Grand-mère t'expliquera, répondit Ethan. Mais tu n'es pas aveugle, n'est-ce pas ? Tu sais comment ils se comportent, lui et tes frères.

— Je ne suis pas dans leur camp, dit fermement le petit garçon. Vas-y, c'est quoi, ton numéro ?

Tandis qu'André notait l'information, Ethan entendit Irena s'entretenir avec Josef au second plan. Il se réjouissait d'avoir obtenu son soutien. Si elle avait parfois manqué de lucidité, la vieille dame restait un redoutable et puissant stratège.

En dépit de ce succès, sa situation demeurait extrêmement précaire. Il doutait de ses chances de pouvoir quitter le pays et de faire échouer le putsch de Leonid. Après avoir glissé le Samsung dans sa poche, il remarqua qu'Amina, le visage décomposé, s'était adossée à un mur.

— Tenez, dit-il en lui tendant un verre d'eau.

— Eh, mais tu portes mon T-shirt !

— Désolé, je vous le rendrai. Le mien était dégueulasse.

Amina porta une main à sa paupière tuméfiée et grimaça sous l'effet de la douleur.

— Pourquoi es-tu encore là ? Au moins, toi, tu es un vrai gentleman.

— Que voulez-vous dire ?

— Tu aurais pu abuser de moi, sourit-elle, frappée par la naïveté d'Ethan.

Sur ces mots, elle vida son verre en trois longues gorgées.

— Vous en voulez encore ?

Amina hocha la tête puis se massa les tempes.

— Il y a de l'aspirine dans le placard, au-dessus du micro-ondes.

À cet instant, des pas se firent entendre dans l'escalier. Ethan se précipita vers la fenêtre et aperçut un pick-up Toyota stationné devant l'immeuble.

— Merde, lâcha-t-il.

— Amina, ouvre ! lança une voix depuis le palier.

Avant même qu'elle n'ait pu se redresser, la porte fut arrachée à ses gonds par un solide coup de botte. Trois individus déboulèrent dans la pièce. Parmi eux, Ethan reconnut Michael, l'homme de main de Kessie. Fou de terreur, il se tourna vers la fenêtre et considéra ses chances d'atteindre le rez-de-chaussée sans se briser les jambes.

## 26. Mutilé de guerre

Lorsque Ryan parvint enfin à s'endormir, Ning, Amy, Ted et Kazakov se rassemblèrent dans la cuisine et tâchèrent de redéfinir leur plan d'action.

— Il ne va pas tarder à faire jour, fit observer Kazakov avant de bâiller à s'en décrocher la mâchoire.

— Récupérer la clé USB et mettre le bureau de Leonid sous surveillance restent nos principaux objectifs, dit Ted. Amy, penses-tu que Dan pourrait s'en charger ?

— C'est une possibilité, mais cette décision influencera la suite de l'opération. Devons-nous lui faire courir un tel risque dès maintenant, sous peine de perdre notre seul contact à l'intérieur de l'organisation ?

— Il travaille pour Leonid et traîne avec ses fils. Même si je suis impatient de savoir ce qui se trouve sur la clé, il est préférable de le ménager.

Ning lâcha un soupir.

— Mais que peut-on faire pour Ethan ?

— La sécurité du Kremlin est plutôt laxiste, dit Kazakov. Donnez-moi quatre hommes des forces spéciales et quarante-huit heures pour monter une action commando, et j'irai vous la chercher, cette clé USB.

Ted secoua la tête.

— Impossible d'acheminer des renforts. Le Kirghizstan est enclavé. Il nous faudrait demander l'autorisation de survol à six États différents. Sans compter les complicités dont bénéficient les Aramov non seulement dans ce pays, mais aussi en Chine et en Russie.

Conscient que sa proposition ne tenait pas debout, Kazakov leva les mains en l'air.

— Oui, c'est vrai. Sans ce foutoir diplomatique, j'imagine que l'aviation américaine aurait déjà détruit l'aérodrome.

— Exact, confirma Ted. Nous sommes contraints de procéder en douceur. Et c'est pourquoi Dan est si important. Il n'est pas membre de la famille, mais je suis convaincu qu'il en sait bien davantage qu'Ethan sur les activités du clan.

— Alors, qu'est-ce qu'on fait ? insista Ning.

Ted s'accorda quelques secondes de réflexion.

— Amy restera à Bichkek pour superviser le travail de Dan. Je demeurerai auprès d'elle le temps d'établir les procédures. Kazakov, vous retournerez au campus avec Ning et notre jeune mutilé de guerre.

— Très bien, dit l'instructeur.

Ted jeta un coup d'œil à sa montre.

— Les Aramov ont des yeux partout. Après l'incident de cette nuit, il est urgent de vous exfiltrer. Je vais affréter un jet privé qui vous conduira à Dubaï, puis vous emprunterez un vol régulier.

— Quand pourra-t-on partir ?

— La CIA dispose d'avions en stand-by en Afghanistan. Il faut compter quatre ou cinq heures, ce qui vous laisse le temps de boucler vos valises et de vous accorder un peu de repos.

Amy se tourna vers Ning.

— Merci de nous avoir aidés à entrer en contact avec Dan. Désormais, il est la pièce maîtresse de cette opération.

— Ça sent le T-shirt bleu marine à plein nez, c'est moi qui te le dis, lança Kazakov.

Ning sourit à l'idée de recevoir cette distinction si peu de temps après avoir obtenu le statut d'agent opérationnel.

— Tout ce que je souhaite, c'est qu'il n'arrive rien de grave à Ethan, dit-elle en baissant les yeux.

∴

Ethan enjamba l'allège de la fenêtre et considéra le trottoir, deux étages plus bas. Jamais il n'avait sauté d'une telle hauteur. Au fond, il ne redoutait ni les coups, ni la mort. Il était terrifié à l'idée d'être reconduit dans la cellule obscure, sans rien pour occuper son esprit.

Michael se précipita dans sa direction. Ethan sentit ses doigts frôler son dos à l'instant où il se laissait tomber dans le vide. La chute sembla durer une éternité, puis ses genoux se plièrent brutalement au contact du sol. Il s'affala lourdement sur le flanc. Une douleur intense irradia de ses chevilles à ses cuisses. Il ne sentait plus sa jambe droite.

Il avait atterri à un mètre des roues arrière du pick-up. Un individu occupait la place du conducteur. Amplifiés par la cage d'escalier, des bruits de pas précipités résonnaient à l'intérieur de l'immeuble.

Il rampa jusqu'à un amas de caisses, se redressa péniblement puis boitilla droit devant lui. Un coup de feu claqua, mais Ethan, qui savait que Kessie devait à tout prix le garder en vie, ne ralentit pas sa progression.

Les hommes de main investirent la rue. Ils lancèrent des cris à l'adresse du chauffeur, qui enclencha aussitôt la marche arrière et fonça droit sur sa cible.

Kessie avait-il renoncé à le capturer vivant ? L'homme qui lui avait tiré dessus n'avait-il pas été informé de la situation ? Sa jambe droite était atrocement douloureuse, mais mû par l'énergie du désespoir, il parvint à enchaîner quelques foulées.

Le véhicule n'était plus qu'à dix mètres. Ethan tourna à droite à l'angle de la rue puis se précipita dans un passage étroit encombré de bidons et de pneus usagés.

Surestimant la largeur de la ruelle, le conducteur effectua un demi-tour au frein à main et se lança à sa poursuite. Un fracas assourdissant se fit entendre lorsque les flancs de la Toyota entrèrent en contact avec les murs de parpaings. L'homme enclencha vainement la marche arrière mais fut incapable de se dégager.

Ethan ignorait combien d'hommes de main étaient à ses trousses, mais d'innombrables exclamations parvenaient à ses oreilles, mêlées à des pleurs d'enfants brutalement tirés du sommeil. Bientôt, les fenêtres des habitations du voisinage s'illuminèrent.

Deux individus sautèrent au-dessus du véhicule accidenté. À cet instant, une forte détonation se fit entendre. L'un des poursuivants lâcha un hurlement puis s'effondra parmi les détritus. Ethan entendit les plombs de chevrotine siffler à ses oreilles.

En se retournant, il aperçut une femme imposante armée d'un fusil à pompe perchée sur le toit d'un des immeubles dont le mur avait été endommagé par le pick-up.

— Le premier qui bouge avant l'arrivée des flics, je le descends ! brailla-t-elle.

Mais le deuxième homme qui avait enjambé la camionnette s'était enfoncé profondément dans la ruelle et se trouvait désormais hors du champ de vision de celle qui l'avait pris pour cible.

À bout de souffle, Ethan se trouva face à une palissade dont les enfants du quartier avaient ôté quelques planches afin d'aménager un étroit passage. Favorisé par sa maigreur, il s'y faufila sans difficulté et déboucha sur une large rue. Tandis que son poursuivant se hissait au-dessus de l'obstacle, Ethan avisa un monticule de débris, brava les deux chiens qui furetaient à la recherche de nourriture et s'empara d'un long morceau de bois aggloméré à l'extrémité extrêmement pointue.

Lorsque son adversaire se fut laissé tomber du haut de la palissade, il lui planta son arme dans le ventre avant qu'il n'ait pu reprendre l'équilibre. Saisi de stupeur, sa victime baissa les yeux et considéra d'un œil rond l'objet fiché dans son abdomen. Enfin, il tomba à genoux puis cracha un flot de sang. Ethan jeta un œil derrière la palissade pour s'assurer qu'il n'était plus menacé.

À l'exception de ses vêtements, Ethan n'avait d'autre objet en sa possession que le téléphone d'Amina. Il ramassa un lourd morceau de plâtre, prit une profonde inspiration et l'abattit de toutes ses forces sur le crâne de son agresseur.

Le coup produisit un son creux. L'homme bascula lourdement sur le dos. Ethan n'était pas de nature violente, mais compte tenu du traitement auquel il avait été soumis depuis son enlèvement, cet acte barbare lui procura une satisfaction malsaine.

D'une main tremblante, il fouilla sa victime. Il empocha un peu de monnaie locale, un mobile Nokia bon marché et un couteau équipé d'un fourreau.

Dès qu'il se fut remis en route d'une démarche hésitante, les chiens, attirés par l'odeur du sang, s'approchèrent du cadavre...

## 27. La dame de fer

De tous les événements qu'Ethan avait traversés depuis la mort de sa mère, cette excursion nocturne dans les rues mal éclairées d'une ville botswanaise, couteau à la main, était sans doute le plus invraisemblable. Il ignorait tout de Kanye. Pour l'heure, il n'avait qu'une priorité : s'éloigner au plus vite de l'endroit où les hommes de Kessie l'avaient aperçu pour la dernière fois.

Il se dirigea vers un riche lotissement aménagé sur les hauteurs. Avec ses grandes villas de plain-pied et ses rues bordées de palmiers, le quartier évoquait sa Californie natale. Ses habitants entretenaient une petite police privée. Ethan dut se cacher derrière un muret au passage d'une voiture de patrouille.

Le portable d'Amina se mit à sonner. Il sentit son cœur s'emballer en découvrant le mot *International* clignoter à l'écran.

Il trouva la voix d'Irena changée, comme si elle était redevenue la dame de fer qui avait transformé un gang de trafiquants de cigarettes à dos de mulet en un empire criminel disposant d'une soixantaine d'avions-cargos.

— Comment vas-tu ? demanda-t-elle.

— J'ai dû quitter l'appartement en vitesse. Je suis dans la rue. Le quartier a l'air sûr, mais je dois trouver un endroit où me planquer avant que le jour se lève.

— Écoute-moi attentivement. Tu vas suivre la route principale vers le nord. À deux kilomètres de Kanye, tu tomberas sur un pensionnat désaffecté. Tu t'y cacheras jusqu'à l'arrivée du pilote. Il atterrira à l'emplacement des anciens terrains de football. Ne t'inquiète pas, il a l'habitude. C'est là que les trafiquants de diamants procèdent aux échanges. Il se trouve en Afrique du Sud, mais il devrait être au point de rendez-vous dans quelques heures.

— Le problème, c'est que je ne sais pas précisément où je suis. Je pourrais consulter Google Maps, mais je dois d'abord trouver un moyen de me connecter à Internet. Comment ça se passe, au Kremlin ?

— André a récupéré la clé USB. Et j'ai contacté le responsable de ma banque principale, en Russie. La semaine dernière, quatre-vingt-deux millions d'euros ont été siphonnés de mes comptes.

— Bon sang ! Si j'en crois les fichiers que j'ai pu étudier, toutes les données de Leonid sont cryptées, mais le logiciel de piratage effectue des copies d'écran à intervalles réguliers, ce qui permet de voir à quoi ressemblaient certains documents avant qu'ils ne soient codés. Si Leonid a utilisé ses ordinateurs pour procéder aux virements, ou pour noter ses mots de passe, on devrait pouvoir récupérer cet argent.

— Bien. J'ai aussi convoqué quelques gros bras en qui j'ai entièrement confiance. Ils sont en train de fouiller le bureau et l'appartement de Leonid. J'ai des hommes en place au sixième étage. Je leur ai donné l'ordre de l'arrêter dès son retour.

— Il est toujours à l'hôpital ?

— En tout cas, il y était il y a une demi-heure, quand j'ai appelé sous prétexte de prendre des nouvelles de Boris.

— Et lui, dans quel état est-il ?

— Mâchoire fracturée, répondit Irena. Il va sans doute être transféré vers un hôpital mieux équipé.

— Est-ce que Leonid sait que je me suis évadé ?

— Pas que je sache. Si c'était le cas, je suppose qu'il aurait déjà pris la fuite.

— Parfait. Tant qu'il reste dans l'ignorance, nous conservons toutes nos chances de retrouver nos billes. Je crois que Kessie n'est pas pressé de lui annoncer que je lui ai filé entre les pattes.

— Logique. André a branché la clé USB sur mon ordinateur, mais il dit qu'il n'arrive pas à ouvrir les documents.

— C'est parce qu'ils sont cryptés et compressés, expliqua Ethan. À première vue, on dirait des fichiers corrompus. De cette façon, si quelqu'un tombe dessus par hasard, il ne se pose même pas de questions sur leur contenu. Il faut les décompresser à l'aide d'un utilitaire.

Irena lâcha un soupir agacé.

— Je ne comprends pas un mot de ce que tu me racontes. André essaye d'y retrouver ses petits, mais il n'est pas aussi doué que toi pour ces choses-là.

Ethan marqua une pause.

— Ne connais-tu pas une personne de confiance qui s'y connaisse en informatique ?

— Il y a bien ce mécanicien aéronautique qui répare les ordinateurs et effectue les copies de sauvegarde de notre serveur, mais c'est un proche de Leonid.

— Dans ce cas, demande à André de transférer les données sur le site FTP. Fais en sorte que le pilote me conduise à un endroit où je pourrai utiliser une ligne Internet à haut débit. Dès que j'aurai réussi à décrypter les fichiers, il me faudra quelqu'un de compétent pour m'aider à trier les informations.

— C'est entendu. Sois prudent, mon petit.

— Toi aussi, Grand-mère. Leonid a le chic pour se faire détester, mais il a toujours des amis au Kremlin.

∴

Ryan se réveilla sur le canapé du salon. Il considéra les lieux d'un œil ensommeillé puis laissa pendre ses jambes de façon à basculer en position assise. Lorsqu'il eut rejeté sa couette, il constata qu'il ne portait qu'une chaussette, un caleçon et un T-shirt souillé de sang. La bouche sèche, il se traîna jusqu'à la cuisine, où il trouva Ted en pleine partie de Pac-Man devant son ordinateur portable.

— Je vois que ça bosse dur, dit-il d'une voix pâteuse en se versant un verre d'eau du robinet.

— Alors, comment tu te sens ?

Ryan haussa les épaules et but une longue gorgée.

— Déprimé.

— Pour quelle raison ?

— Ma carrière à CHERUB est au point mort. J'ai été viré de ma première mission pour avoir bousculé le Dr D et je n'ai pas réussi à récupérer la clé USB, la nuit dernière. Les contrôleurs de mission ne risquent pas de se battre pour m'avoir dans leur équipe.

— C'est ça, plains-toi. Tu vas rester cloîtré au campus. Des installations ultramodernes, un enseignement exception-nel, des jolies filles à la pelle. À ce propos, comment ça va, côté cœur ?

— Grace veut ma mort, et la plupart des autres filles me considèrent comme une ordure sous prétexte que j'ai rompu avec elle par SMS.

Ted éclata de rire.

— Avec ton physique ravageur, elles t'auront bientôt par-donné. Et que je sache, elle ne t'a pas étranglé, quand tu es retourné au campus pour préparer l'opération Kremlin.

— À vrai dire, j'ai pris tous mes repas dans ma chambre pour éviter la confrontation.

Ted trouvait cette précision hilarante, mais il préféra changer de sujet, de crainte de mettre son jeune coéquipier mal à l'aise.

— Les autres se reposent à l'étage. Ning, Kazakov et toi quitterez le pays aux alentours de midi. Je te conseille de faire un brin de toilette, de te changer et de boucler tes bagages.

— Cool.

— J'ai eu un mal de chien à trouver un avion. Le réseau GSM est catastrophique. J'ai dû utiliser un téléphone satellitaire, et je n'ai même pas pu obtenir une ligne sécurisée à cause de problèmes d'air conditionné dans nos bureaux de Dallas.

— Quel rapport ?

— C'est la canicule, là-bas. Les serveurs se sont automatiquement arrêtés pour éviter la surchauffe. Le problème devrait être réglé dans moins d'une heure, mais l'ULFT est une organisation de taille modeste, et l'unique technicien est complètement débordé.

— C'est nul, grogna Ryan.

Il ôta son T-shirt puis souleva le pansement confectionné par Amy.

— On dirait que ça coagule correctement.

Ted jeta un œil à la blessure.

— Tâche tout de même de ne pas y toucher quand tu prendras ta douche.

Ryan aperçut son BlackBerry posé sur la machine à laver. L'écran était brisé. La moitié de la coque qui n'avait pas éclaté était maculée de sang séché.

— Il y a quelques mobiles de rechange dans le coffre de la bagnole, dit Ted. Tu n'as qu'à te servir.

Ryan tourna l'appareil entre ses mains.

— Celui-là était équipé de l'application qui me permettait de communiquer et de me connecter à Internet sous l'identité de Ryan Brasker.

— Dans ce cas, nous devrions le nettoyer et vérifier s'il fonctionne encore. Mais ne t'inquiète pas trop pour ça. J'ai déjà prévenu Dallas que ton téléphone avait eu un petit accident. À ton retour au campus, je parie que tu trouveras un appareil tout neuf configuré par les services techniques de CHERUB.

# 28. Recherche réseau

Tandis qu'Ethan traînait dans le quartier résidentiel, le Samsung d'Amina finit par accrocher une ligne Wi-Fi non sécurisée. Il ouvrit l'application GPS et fit le point sur sa position. Il se trouvait au centre de Kanye, à six kilomètres du pensionnat désaffecté.

Il atteignit les limites de la ville au lever du soleil. Il souffrait d'une migraine épouvantable. Sa cheville droite avait enflé démesurément, faisant de chaque pas un supplice. Il s'engagea sur le large accotement à découvert qui longeait la route principale en direction du nord. Se sentant plus vulnérable que jamais, il préféra dévaler un talus et progresser dans les broussailles, trouvant refuge derrière un arbre ou un buisson chaque fois qu'un véhicule se faisait entendre.

Un 4x4 Nissan pila à la hauteur d'une station de cars scolaires où patientaient une dizaine d'écoliers. Un homme portant un fusil d'assaut en bandoulière en descendit, se planta au milieu du groupe et brandit une liasse de billets. Les enfants braillèrent des exclamations enthousiastes.

Ethan observait la scène depuis un taillis, à vingt-cinq mètres de là. L'individu s'exprimait en tswana, mais il comprit qu'il offrait une forte récompense à celui qui permettrait la capture d'un garçon blanc aperçu dans les environs.

Lorsque le véhicule se fut remis en route, il préféra rester à l'abri jusqu'à l'arrivée du car. Soudain, un gamin flanqua un coup de pied aux fesses de l'un de ses camarades bien plus grand que lui puis se précipita en riant vers la cachette d'Ethan.

Ce dernier retint son souffle. L'enfant se trouvait à moins de cinq mètres lorsque son rival lui administra un tacle à la façon d'un joueur de rugby, l'envoyant rouler dans la poussière. Il se redressa, saisit sa victime par la taille, le souleva au-dessus de sa tête et le jeta dans un buisson.

Ethan demeura parfaitement immobile lorsque l'écolier atterrit parmi les branchages, à moins de deux mètres de sa position. Une fillette et trois garçons se précipitèrent sur les lieux de l'incident.

Compte tenu de l'état de sa cheville, Ethan n'était pas en mesure de courir. Convaincu qu'il allait être découvert, il adopta une position fœtale.

L'écolier était furieux d'avoir été ainsi maltraité, mais il était indemne. Il se redressa d'un bond et se planta devant son adversaire, un adolescent qui devait avoir au moins cinq ans de plus que lui. Ce dernier éclata de rire et tourna les talons.

Un vieux minibus bleu électrique dont la calandre était ornée d'un crucifix ralentit à l'approche de l'arrêt de car. Au grand soulagement d'Ethan, les enfants se précipitèrent vers le véhicule et y embarquèrent dans le plus grand désordre. Quelques secondes plus tard, le 4x4, qui avait fait demi-tour, fila à grande vitesse en direction de la ville. Dès qu'il se trouva hors de son champ de vision, Ethan quitta sa cachette et poursuivit sa progression.

...

Un chauffeur de l'ambassade conduisit l'instructeur et les agents à l'aéroport international de Bichkek Manas, où ils patientèrent dans un salon VIP. Ryan et Kazakov avaient les nerfs à vif. Le clan Aramov disposait d'innombrables complicités, et ils redoutaient que leur signalement n'ait été largement diffusé.

Ils franchirent les douanes sans encombre puis embarquèrent à bord d'une voiture de golf qui les conduisit jusqu'à un appareil de la CIA maquillé aux couleurs d'une obscure société de location turque.

— Super, lâcha Ryan en découvrant la luxueuse cabine.

Sa blessure le mettait au supplice et il appréhendait le long vol vers Dubaï, mais il était ravi de disposer d'un large fauteuil inclinable où il pourrait s'étendre confortablement.

Installée de l'autre côté de la travée, Ning le regarda déplier la tablette articulée fixée à l'accoudoir et y poser le sac à glaçons qui contenait les débris de son mobile.

— Si tu veux consulter tes messages, suggéra-t-elle, il vaudrait mieux que tu installes ta carte SIM dans mon iPhone.

— Je sais, mais tous mes contacts et un paquet de MP3 se trouvent dans ce BlackBerry.

— Tu veux dire que tu n'as pas effectué de sauvegarde ? s'étrangla Ning, feignant la stupeur. Mais c'est contraire au règlement de CHERUB !

L'appareil se mit en mouvement et emprunta la voie de roulage menant au seuil de la piste.

— Arrête ton char, sourit Ryan. Je ne connais pas une seule personne qui respecte cette procédure.

Il glissa la batterie du BlackBerry dans son logement, replaça le couvercle puis, l'appareil ne disposant plus de bouton on/off, enfonça une épingle à cheveux à l'intérieur de la coque.

Le mobile émit un crachotement, puis un logo tronqué apparut sur les deux tiers inférieurs de l'écran.

— Je crois que ça va marcher ! s'exclama Ryan en croisant les doigts avant de s'adresser directement à son téléphone portable. Allez, allez, allez !

Il entra son code Pin et regarda l'inscription *Recherche réseau* clignoter à l'écran.

— Tu es un vrai petit génie ! lança Ning sur un ton ironique.

Au même instant, une hôtesse aux cheveux roux remonta la travée en poussant un chariot chargé de boissons.

— Je dois vous demander d'éteindre votre mobile, dit-elle. Tous les appareils électroniques doivent être désactivés durant le décollage et l'atterrissage. Vous pourrez utiliser la connexion Wi-Fi de l'avion dès que nous aurons atteint notre altitude de croisière.

Ryan lui lança un regard sombre puis attrapa un verre de jus d'orange.

— Dites-moi, à votre connaissance, combien d'avions se sont cassé la gueule à cause d'un portable resté allumé ?

— Pardonnez-moi, mais je n'ai pas rédigé le règlement, répliqua la jeune femme en posant un double whisky Coca sur la tablette de Kazakov.

Ce dernier adressa un sourire à l'hôtesse puis jeta un regard lourd de menaces à ses agents.

Compte tenu de la taille réduite de l'avion, le copilote n'avait pas besoin d'utiliser l'intercom.

— Je vous conseille de finir vos verres, lança-t-il. Nous avons reçu l'autorisation de décoller dans exactement sept minutes.

...

Malgré la douleur que lui causait sa cheville, Ethan avait escaladé un portail au mépris des pancartes interdisant l'accès au pensionnat, un bâtiment de béton partiellement envahi par la végétation dont toutes les portes manquaient. En ces lieux abandonnés depuis huit ans, la nature semblait avoir repris ses droits. Des lézards se prélassaient au soleil sur les murs criblés d'impacts de balles. Des douilles vides jonchaient le sol. De toute évidence, les échanges auxquels procédaient en ces lieux les trafiquants de diamants ne se faisaient pas toujours sans heurts.

Ethan entra dans l'édifice. En foulant les dalles du hall parsemées d'éclats de verre, une peur irraisonnée le saisit. Il traversa l'édifice de part en part et déboucha sur une pièce disposant d'une vue panoramique sur la cour et les anciens terrains de sport.

Si tout le mobilier avait disparu, le panneau indiquant l'emploi du temps des professeurs était toujours en place, ainsi qu'une armoire à pharmacie ornée d'une croix verte.

Lorsque Irena avait évoqué les terrains de football, Ethan avait imaginé un lieu en friche. En réalité, une piste en terre avait été aménagée à grand renfort de désherbant. Il franchit le cadre d'une porte donnant sur l'extérieur, éprouva d'une secousse la solidité de la rambarde d'un petit escalier permettant d'accéder à la cour de récréation puis en descendit les marches. Il étudia un panneau d'orientation et décida de trouver refuge dans les vestiaires jusqu'à ce que le moteur de l'avion se fasse entendre.

À peine se fut-il mis en route qu'une voix masculine résonna sur le toit de la salle des professeurs.

— Ethan Kitsell ?

La silhouette de l'inconnu se détachait à contre-jour. Vêtu d'une chemise et d'un bermuda, une corde en nylon enroulée autour de la taille, il portait une kalachnikov en bandoulière.

Ethan se souvint d'un documentaire vu sur Discovery Channel. Cette arme n'était pas réputée pour sa précision. S'il parvenait à courir, il lui restait quelque chance d'échapper au tueur. Alors, il réalisa que l'homme avait prononcé son nom américain.

— Je m'appelle Brian, annonça ce dernier. J'ai essayé de te joindre par SMS.

Ethan plaça une main en visière et put constater que l'homme tenait un téléphone satellitaire.

— Le réseau laisse à désirer, dans le coin, dit-il.

— Je suis en contact avec ton pilote. À vrai dire, j'espérais tomber sur un client un peu plus costaud que toi, parce qu'on va devoir dégager le terrain d'atterrissage.

— Je… je ne comprends pas, bredouilla Ethan, qui continuait de se méfier.

Brian sauta souplement du toit.

— Rapprochons-nous, tu vas comprendre. Oh, mais dis-moi, ta cheville est drôlement enflée.

— Ça fait hyper mal, gémit Ethan.

— Il va quand même falloir que tu me donnes un coup de main. Si j'avais su que tu étais blessé, j'aurais demandé à un collègue de m'accompagner.

Lorsqu'ils eurent parcouru une cinquantaine de mètres, Ethan comprit enfin de quoi il retournait. Une dizaine de blocs de béton peints de façon à se fondre dans le décor avaient été répartis sur la piste.

— L'avion ne pourra pas se poser tant que nous ne les aurons pas déplacés, expliqua Brian.

— Si je comprends bien, nous n'avons pas vraiment le droit d'utiliser cet aérodrome, n'est-ce pas ?

L'homme secoua la tête.

— Mon père est un vieil ami du pilote, mais la personne qui contrôle cet endroit n'aimerait pas nous voir traîner dans les parages, et si je veux avoir une chance de palper le fric qu'on m'a promis pour assurer ta sécurité, il vaut mieux ne pas moisir ici.

## 29. Las Vegas

Ruisselant de sueur, les veines du cou saillantes, Brian tirait un bloc de béton à l'écart de la piste clandestine au moyen d'une corde.

Après avoir constaté qu'il n'était pas en mesure de lui prêter main-forte, Ethan avait rebroussé chemin vers le bâtiment. Assis sur les marches, le téléphone satellitaire posé à ses côtés, il étudiait avec anxiété sa cheville démesurément enflée.

La sonnerie du Samsung d'Amina retentit, puis le mot *International* apparut à l'écran.

— Grand-mère ? C'est toi ? Le réseau est un peu faiblard. Je n'entends rien.

— C'est moi, André. J'essaye de transférer les fichiers de l'ordinateur de mon père sur le site FTP, mais ça n'arrête pas de planter. Qu'est-ce que je peux faire ?

Non loin de là, Brian, qui avait déjà déplacé six blocs, semblait au bord de l'épuisement.

— La connexion Internet du Kremlin est minable, dit Ethan. Ça risque de te prendre des heures. Demande à un chauffeur de te conduire à Bichkek. Tu continueras le transfert depuis un web café. Natalka connaît quelques adresses.

— Je ne sais pas où elle est passée.

— Dans ce cas, va au bazar Dordoï, du côté des boutiques d'informatique.

Le téléphone satellitaire se mit à sonner.

— Il faut que je te laisse, André.

Ethan mit un terme à la communication et porta l'appareil à son oreille.

— Brian ? lança un homme à l'accent sud-africain prononcé.

— Non, c'est Ethan Aramov. Vous êtes le pilote ?

— Affirmatif, et je suis bien content d'entendre le son de ta voix, mon garçon ! Je serai à Kanye dans environ dix minutes. Quelle est la situation ?

— Brian est en train de dégager les obstacles installés sur la piste. Il n'en reste plus que trois.

— Dis-lui de se magner le train. Ta grand-mère tient à ce que nous rejoignions Sharjah au plus vite, et je suis un peu juste en carburant.

— Je lui fais passer le message.

Ethan écarta le téléphone.

— Le pilote sera là dans dix minutes ! cria-t-il à l'adresse de Brian en écartant les doigts de la main gauche à deux reprises.

L'homme fronça les sourcils.

— Ça va être un peu juste. Dis-lui de ne pas tenter de se poser avant que nous lui ayons donné le feu vert.

Ethan relaya l'information puis raccrocha. Quelques minutes plus tard, le grondement d'un réacteur se fit entendre. Alors que le son s'amplifiait, Brian s'affala dans la poussière en essayant de déplacer l'avant-dernier bloc.

— Bordel de merde ! s'étrangla-t-il. La corde a cassé. J'en ai une autre dans le coffre de la bagnole. Préviens le copilote que nous avons un contretemps. Au pire, place-toi au milieu de la piste et répète ce geste.

Il leva les mains au-dessus de sa tête et croisa les avant-bras.

— S'il se pose alors que ces blocs sont encore en place, il peut dire adieu à ses trains d'atterrissage.

Dès que Brian se fut élancé vers le véhicule stationné derrière l'immeuble, Ethan aperçut l'appareil à l'horizon. Au cours des six mois passés au Kremlin, il s'était habitué au vacarme produit par les vieux avions à réaction russes, mais le rugissement des turbines de ce jet dépassait l'imagination.

Il étudia le téléphone satellitaire. C'était un dispositif imposant équipé d'un écran LCD monochrome d'aspect primitif. Ne connaissant pas le numéro du pilote, il enfonça une touche dans l'espoir d'accéder à une liste des derniers appels, mais il réalisa que les menus étaient entièrement rédigés en japonais. Il se retourna mais Brian avait déjà disparu derrière le bâtiment.

À mesure que l'appareil grossissait dans le ciel, le grondement des réacteurs se fit insoutenable. Ethan boitilla vers la piste, se planta courageusement dans l'axe de l'avion et croisa les bras au-dessus de la tête. Lorsque le pilote remit les gaz afin de reprendre de l'altitude, il crut que ses tympans allaient exploser. Quelques instants plus tard, le téléphone satellitaire sonna.

— À quoi vous jouez, en bas ? vociféra le pilote.

— La corde de Brian s'est cassée, expliqua Ethan. Il est allé en chercher une autre. Il reste deux blocs à dégager.

— Bon Dieu ! Je vais effectuer une nouvelle procédure d'approche. Ça vous laisse huit minutes.

Du coin de l'œil, Ethan vit deux silhouettes dévaler les marches menant à la salle des professeurs puis courir dans sa direction. À mesure que les hommes approchaient, il reconnut la silhouette et les traits de Michael.

— Les mains en l'air, sale petite merde ! hurla ce dernier en brandissant un pistolet automatique. Tu as buté le cousin de Kessie. Il va te le faire payer très cher !

Ethan était à la merci des tueurs. Il supposait que Brian avait été éliminé. Son évasion s'arrêtait là. Il ne lui restait plus qu'à se livrer et à affronter courageusement le traitement qui lui serait infligé.

Soudain, la tête de Michael éclata dans un geyser de sang. La détonation se fit entendre une fraction de seconde plus tard. Une deuxième balle atteignit son complice entre les omoplates. À l'instant où il s'effondra, Brian enjamba une fenêtre du premier étage, kalachnikov en main, une corde de rechange autour de la taille.

— Il y avait un troisième homme dans le pick-up, dit-il en confiant l'arme à Ethan. Je ne sais pas où il se planque, alors couvre mes arrières, OK?

— Mais je n'ai jamais tiré de ma vie!

— Il est en position coup par coup. Il te reste huit balles. Fais pour le mieux.

Sur ces mots, Brian attacha la corde à l'avant-dernier bloc de béton et le tira énergiquement à l'écart. Le jet, qui achevait sa seconde procédure d'approche, apparut de nouveau dans l'axe de la piste.

Tandis que Brian écartait l'ultime obstacle, Ethan aperçut plusieurs silhouettes en mouvement à l'intérieur du pensionnat et à l'angle de l'édifice.

— Il en arrive de partout! cria-t-il en s'agenouillant derrière l'un des blocs placés à l'écart.

La sonnerie du téléphone satellitaire retentit. Brian le rejoignit puis récupéra l'appareil et le fusil d'assaut.

— La piste est dégagée? demanda le pilote.

— Oui, j'ai terminé, mais des individus hostiles se dirigent vers notre position. Je vais essayer de les tenir à distance.

Brian interrompit la conversation, épaula la kalachnikov et atteignit l'un des assaillants en pleine poitrine.

— Dès que l'avion sera à l'arrêt, saute sur mon dos, ordonna-t-il.

Constatant que son protégé tremblait de tous ses membres, il posa une main sur son épaule.

— Ne t'inquiète pas, mon garçon. Il y en a quatre ou cinq, mais je suis un soldat de métier et ce ne sont que des employés du ranch.

Pour confirmer ses dires, il prit pour cible une fenêtre du rez-de-chaussée et enfonça la détente. Un cri retentit, sans qu'Ethan puisse distinguer la silhouette de l'homme qui venait d'être abattu.

Lorsque l'avion se présenta enfin en bout de piste, le grondement des réacteurs se fit si puissant qu'il crut perdre connaissance. Il vit glisser sur la piste un bombardier super-sonique TU-22 au fuselage argenté, une magnifique relique de la guerre froide.

Il avait l'impression que la mèche d'une perceuse s'enfon-çait dans ses tympans et redoutait d'être frappé à tout jamais de surdité. Perdu dans le nuage de poussière soulevé par l'appareil, il avait oublié les consignes de Brian. Il se sentit arraché de terre puis hissé sur les épaules de son bienfaiteur.

Brian était doté d'une force herculéenne. Nullement embar-rassé par son fardeau, il courut à toutes jambes en direction de l'avion, kalachnikov à bout de bras. Le volume sonore était tel qu'il était impossible de savoir si on leur tirait dessus.

Trente secondes plus tard, il souleva Ethan à hauteur du cockpit. Ce dernier sentit une main se refermer sur son poignet puis le tirer énergiquement à l'intérieur de l'appa-reil. Avant même qu'il n'ait pu remercier son bienfaiteur, ce dernier baissa la tête pour se glisser sous l'avion puis prit la fuite dans la direction opposée au bâtiment.

Lorsque la verrière se referma au-dessus de sa tête, Ethan se sentit poussé vers le troisième et dernier siège disponible dans l'habitacle confiné. Tandis que le Tupolev entamait un lent demi-tour, le copilote casqué assis devant lui plaqua un masque à oxygène sur son visage et l'attacha à son crâne à l'aide de deux bandes élastiques. L'homme désigna un har-nais comportant cinq sangles.

Ethan entendit la voix du pilote jaillir des haut-parleurs intégrés dans la carlingue.

— Moteurs, carburant, check. Position, check. Décollage court, alignement, check. Poussée maximale, à mon signal.

Ethan, qui avait déjà emprunté des avions de petite taille, s'attendait à subir quelques secousses, un peu comme s'il se trouvait à bord d'un wagonnet lancé sur les rails d'une montagne russe.

À l'instant où le pilote poussa la manette des gaz, sa tête fut projetée en arrière. Des signaux lumineux éclairèrent le cockpit, puis un concert d'alertes sonores se fit entendre. L'avion fila comme un missile et s'inclina presque à la verticale. Un voyant rouge représentant deux avions stylisés entrant en collision s'alluma sous le nez d'Ethan.

— Tout va bien ? s'étrangla-t-il. On se croirait à Las Vegas. Ça clignote de partout !

Le copilote éclata de rire.

— Ces trucs déconnent depuis une quinzaine d'années, expliqua-t-il. Surtout, ne touche à rien.

Après quelques secondes de vol, le Tupolev traversa une mer de nuages. C'était un spectacle magnifique. À travers la verrière offrant un large champ de vision, Ethan avait l'impression qu'il lui aurait suffi de tendre la main pour les toucher.

— Désolé pour le décollage un peu brutal, dit le pilote. Certains trafiquants des environs possèdent des lance-missiles, alors j'ai préféré prendre de l'altitude le plus rapidement possible.

Malgré ses tympans martyrisés et sa cheville douloureuse, Ethan se fendit d'un large sourire. Alors qu'il filait dans les airs, il avait l'impression d'avoir repris le contrôle de sa destinée.

Lorsque l'avion creva la couverture nuageuse, un soleil éblouissant illumina le cockpit.

— Qu'est-ce qu'on est bien, à cette altitude… soupira-t-il.

# 30. Coupable, Votre Honneur

Ryan, parfaitement détendu, regardait défiler les montagnes kirghizes. L'hôtesse servit des bouchées au crabe et des rouleaux de printemps. Lorsqu'il eut terminé sa mousse au chocolat accompagnée de mini-sablés, il inclina son siège et regarda *Fast and Furious 5* sur un petit moniteur LCD monté sur un bras articulé.

Après un détour par les toilettes, il essaya de connecter son BlackBerry au réseau Wi-Fi de l'avion. Le tiers supérieur de l'écran avait rendu l'âme, mais la plupart des touches étaient opérationnelles. À la lecture du premier SMS de Grace, il éclata de rire.

— Eh, Ning, lança-t-il en se penchant au-dessus de la travée.

Légèrement agacée, elle enfonça la touche pause de son écran tactile et ôta ses écouteurs.

— Qu'est-ce qu'il y a?

— J'ai reçu ce message de Grace. *Je viens d'apprendre que tu étais rentré au campus pendant trois jours sans m'en avertir. La prochaine fois qu'on se croisera, je te couperai les bijoux de famille et je les filerai à bouffer aux chiens de garde du poste de sécurité.*

Ning esquissa un sourire.

— Achète-lui un cadeau quand on sera à l'aéroport de Dubaï. Tu as déconné, sans blague. Ça ne se fait pas, de rompre par SMS.

Ryan leva les yeux au ciel.

— Elle voulait prendre le contrôle de mon existence ! Je ne pouvais plus bouger le petit doigt sans sa permission.

— Je n'ai pas parlé des *raisons* de votre rupture mais de la *méthode* que tu as employée.

— Bon, OK. Je tâcherai de lui trouver une boîte de chocolats, un truc dans le genre. De toute façon, il faudra bien que je la revoie un jour ou l'autre. Je dois trouver un moyen de la calmer.

— Ce que je ne comprends pas, c'est pourquoi tu as de nouveau craqué pour elle, si elle est si invivable que ça.

— Sa poitrine, lâcha Ryan. On était assis dans le taxi, le jour de… l'incident. Elle s'est pratiquement roulée sur moi, avec son petit haut hyper étroit. J'ai complètement perdu le contrôle de la situation.

— Un grand classique, soupira Ning.

— Et toi, il y a quelqu'un qui te plaît, au campus ?

— Si c'était le cas, tu en serais le dernier informé.

Ryan composa le code lui permettant de se faire passer pour Ryan Brasker. Il découvrit qu'il avait reçu deux messages vocaux d'Ethan le jour même.

— Mr Kazakov ! s'exclama-t-il, tout excité, en se penchant en avant pour toucher le crâne de l'instructeur.

Ce dernier se retourna vivement et lui lança un regard noir.

— Qu'est-ce qui te prend, mon garçon ?

— J'ai reçu deux messages d'Ethan. J'ai besoin de votre ordinateur portable.

— Pourquoi tu ne les écoutes pas, tout simplement ?

— Il n'y a pas de réseau GSM, ici. J'ai juste reçu un e-mail automatique de l'ULFT m'annonçant que j'avais reçu deux messages vocaux. Si vous me prêtez votre ordinateur, je me connecterai pour les télécharger. Je pourrais le faire depuis mon BlackBerry, mais le haut-parleur est explosé.

Kazakov se leva et ouvrit le compartiment situé au-dessus de sa tête.

— Je suppose que Ted et Amy nous auraient tenus au courant, s'il s'était passé quoi que ce soit d'important.

— Ted a informé l'ULFT que mon BlackBerry était en rade. Mais quand on est partis pour l'aéroport, les serveurs de Dallas étaient en rideau à cause de la canicule. Apparemment, c'était la panique complète dans les bureaux. Or, à en croire ces e-mails, les messages vocaux m'ont été transmis juste avant la panne.

— Donc, résuma Ning, nous ne savons pas si les analystes de l'ULFT ont pu lire ces messages, ni s'ils les ont transmis à Ted et Amy.

— Exactement, confirma Ryan. En tout cas, il vaudrait mieux en avoir le cœur net.

— Ah, la technologie, j'y comprends que dalle... soupira Kazakov en lui confiant son ordinateur portable. Si ça ne tenait qu'à moi, je partirais vivre dans la forêt.

Le vieux PC mit un temps interminable à démarrer. Tandis que Ryan entrait les données de connexion Wi-Fi, Ning adressa un e-mail à Ted depuis son iPhone pour lui demander s'il avait reçu les messages d'Ethan.

— On dirait que le serveur de l'ULFT a redémarré, dit Ryan.

Il localisa rapidement la copie des messages vocaux. La connexion n'étant pas des plus rapides, les trois membres de l'équipe gardèrent les yeux rivés à l'écran pendant deux minutes, comme hypnotisés par le mot *Chargement* affiché en bas de la page HTML. Soudain, la voix d'Ethan résonna dans les haut-parleurs du PC.

— Monte le son, dit Ning.

« *Ryan, c'est moi. Je suis dans une merde incroyable. Tu vas sans doute penser que je me fous de ta gueule, mais je suis sérieux, je le jure. Je suis à Kanye, une ville du Botswana. Mon oncle a détourné mon avion et j'ai été placé dans une cellule, comme*

*un animal. Je... je viens de m'évader. J'ai essayé de joindre ma*
*grand-mère, mais pas moyen. Si tu entends ce message, rappelle-*
*moi immédiatement, je t'en supplie. »*

— Nom de Dieu, s'étrangla Ryan en cliquant sur le second
fichier.

— De quel numéro a-t-il appelé ? demanda Ning. Si le
pilote descendait un peu de façon à accrocher le signal GSM,
nous pourrions le contacter.

— Si ça se trouve, l'ULFT travaille déjà sur ces données.
Je dois être certain qu'ils ne l'ont pas contacté en utilisant
mon identité.

À nouveau, la voix d'Ethan se fit entendre.

*« Ryan, c'est encore moi. J'ai parlé à ma grand-mère. Elle a dit*
*qu'elle s'occupait de me faire quitter la ville. Apparemment, mon*
*oncle a essayé de l'empoisonner et de siphonner tous ses comptes.*
*Mon cousin André est en train de transférer toutes les données du*
*deuxième ordinateur sur le site FTP. Si Irena parvient à me faire sor-*
*tir d'ici, je me chargerai de les trier, mais si tu as l'occasion d'y jeter*
*un œil, pourrais-tu te concentrer sur les informations concernant les*
*comptes de Leonid ? Je te promets que tu n'auras pas à le regretter.*
*Je ne sais pas où tu es, mais rappelle-moi dès que possible. »*

— Au moins, il est toujours en vie, dit Ryan en passant les
doigts dans ses cheveux.

— Bon, lâcha Ning. Leonid Aramov a dépouillé les comptes
en banque de sa mère et a essayé de la tuer. À l'heure qu'il
est, tous ses secrets doivent se trouver sur le site FTP.

— Rien ne prouve que le logiciel espion ait enregistré la
moindre information exploitable, mais l'équipe de Dallas
doit déjà être en train d'éplucher les données.

— Et nous, avons-nous accès à ce site ? demanda Kazakov.

Ryan hocha la tête.

— C'est moi qui l'ai ouvert afin qu'Ethan puisse y transférer les fichiers de l'ordinateur de Leonid. J'en suis le seul
administrateur.

Il explora les menus de son BlackBerry à la recherche de l'adresse et du mot de passe du site. Lorsqu'il se fut connecté sur le PC portable, des centaines de fichiers apparurent à l'écran.

— C'est bizarre, les premiers documents ont mis six à sept minutes à se télécharger. Les plus récents ont été transférés à toute blinde.

Il scrolla vers le bas de la page et découvrit avec stupeur qu'un nouveau fichier apparaissait toutes les trois à quatre secondes.

— Bon sang ! s'exclama Kazakov. Ça veut dire qu'ils sont mis en ligne en ce moment même !

Ryan hocha la tête.

— On dirait qu'André a dégotté une connexion Internet plus musclée.

Kazakov se tourna vers l'hôtesse assise à l'arrière de l'appareil.

— Dans combien de temps nous poserons-nous ?

— Un peu moins d'une heure.

Au même instant, le copilote jaillit du cockpit.

— Y a-t-il un Ryan Sharma à bord ?

Ryan leva la main.

— Je plaide coupable, Votre Honneur, lança-t-il.

— J'ai une certaine Amy Collins en ligne. Elle dit que c'est urgent.

Ryan dut se glisser dans le cockpit pour s'emparer du combiné fixé à la paroi, derrière le siège du pilote.

— Amy ?

— Ryan, on est tombés sur un truc *monstrueux*.

— Tu n'avais pas reçu les messages vocaux d'Ethan ?

— Non. L'ULFT nous transfère les données en temps réel. Ceux-là ont dû être transmis pendant la panne de serveur.

— Tes analystes se sont mis au boulot ?

— Tu m'étonnes. J'espère simplement que nous ne nous réveillons pas trop tard. Leonid a bel et bien aspiré tous les comptes en banque de sa mère. Techniquement, il est le nouveau chef du clan Aramov.

— Ah bon ?

— Salaires, carburant, pots-de-vin, maintenance de la flotte… Si Irena ne peut pas payer les factures, son personnel et ses fournisseurs se retourneront contre elle.

— Et celui qui possède l'argent contrôle le clan.

— Et comme cet argent n'est pas très net, Irena ne peut pas se rendre au commissariat de Bichkek pour déposer plainte. Ethan est à la recherche des mots de passe et des numéros de comptes bancaires de Leonid afin de récupérer le magot familial. Mais si nous les trouvons avant lui, nous pourrions les court-circuiter tous les deux.

— Excellent. Nous allons piquer leur fric !

— Disons que nous allons *essayer*. Vu l'état de santé d'Irena et la réputation de Leonid, le clan sera instantanément démantelé.

Ryan lâcha un éclat de rire triomphal.

— Et moi, est-ce que je pourrai enfin enfiler un T-shirt bleu marine ?

— Possible. Mais ne fais pas de plans sur la comète. Nous ne sommes pas certains de trouver les mots de passe de Leonid parmi les données aspirées depuis ses ordinateurs.

— Mais nous avons un net avantage sur Ethan. Il est seul pour trier ces données alors que nous disposons d'une équipe de spécialistes.

Ryan éprouva une légère sensation de vertige.

— Je ne suis pas du genre nerveux, mais c'est absolument *énorme*, ajouta-t-il. Pourvu qu'Ethan sorte sain et sauf de toute cette histoire…

# 31. Trois fois la vitesse du son

Tandis que Ryan, Ning et Kazakov approchaient de Dubaï, le bombardier d'Ethan filait à trois fois la vitesse du son vers l'aéroport de Sharjah, situé à une vingtaine de kilomètres au nord.

Pressé de questions par son jeune passager, le pilote expliqua qu'il possédait deux appareils semblables. Pour les garder opérationnels, il achetait des épaves en Libye et en Irak afin d'en récupérer les pièces en état de fonctionnement.

— Je suis le seul pilote supersonique privé sur le marché, conclut-il. Je peux rejoindre l'autre côté de la planète en moins de quinze heures. J'ai transporté des stars du cinéma qui devaient se rendre à deux premières le même soir sur deux continents différents.

— Vous leur avez demandé des autographes ? demanda Ethan.

— Certainement pas. Ce ne serait pas du tout professionnel.

L'atterrissage fut moins mouvementé que le décollage. Après avoir emprunté une voie de service, l'avion roula jusqu'à un hangar où étaient stationnés deux vieux avions-cargos de la flotte Aramov.

Le copilote aida Ethan à descendre les marches d'un petit escalier mobile. Ne disposant pas de papiers d'identité, il sentit ses entrailles se serrer à la vue d'un officier des douanes et d'une femme mince vêtue d'un tailleur sévère plantés sur le tarmac. Cette dernière lui remit un passeport kirghiz portant déjà le tampon d'autorisation d'entrée du territoire. Le document semblait authentique. La photographie figurant en page deux avait été téléchargée depuis son profil Facebook.

Tandis que l'officier s'entretenait avec l'équipage, l'inconnue le guida vers un bureau aménagé au fond du hangar.

— L'état de ta cheville ne s'est pas amélioré, dit-elle avec un léger accent français en le voyant boiter bas. Je vais faire en sorte qu'on te procure une chaise roulante puis je te conduirai à l'hôpital pour procéder à un examen.

— Pardonnez-moi mais… qui êtes-vous ?

— Je m'appelle Ruby. Je suis comptable, et je m'occupe des affaires de Clanair, ici, à Sharjah. Ta grand-mère m'a chargée de t'aider à dénicher des coordonnées bancaires dans la masse de données qu'André est en train de transférer. Elle m'a aussi adressé plusieurs fax concernant les comptes en banque de son organisation.

— Justement, je me posais une question : lorsqu'un virement est effectué, combien de temps met l'argent pour passer d'un compte à un autre ?

— Cela dépend du pays, de la banque et de la somme. Dès que nous aurons les informations que nous recherchons, tu changeras les mots de passe de Leonid afin qu'il ne puisse plus avoir accès aux comptes.

— Vous pensez qu'il a procédé aux virements par Internet ?

— J'en ai la quasi-certitude. La plupart des opérations bancaires sont effectuées en ligne, de nos jours.

— Un bon point pour nous. À moins que Leonid ne se soit servi d'un ordinateur dont nous ignorons l'existence.

Ils entrèrent dans une petite pièce disposant d'une large fenêtre orientée vers la piste puis s'assirent côte à côte devant l'écran d'un PC. Ruby s'était déjà connectée au site FTP. Les fichiers téléchargés apparaissaient à l'écran.

— J'ai installé le logiciel de décryptage, mais on me demande un code d'accès, expliqua-t-elle.

— Pas de problème, je le connais par cœur, la rassura Ethan. Je pourrais avoir un Coca, s'il vous plaît ?

— Bien sûr. Je vais te chercher ça.

Lorsque Ruby eut quitté la pièce, Ethan posa une main sur la souris. Après les jours passés dans une cage, sans plus d'égards qu'un animal, ce geste tout simple lui procura une immense sensation de bien-être.

Les fichiers étaient classés par ordre chronologique de transfert. Il disposait pour l'heure de trois cent soixante-dix documents, de trois mille sept cents copies d'écran et d'un document incluant toutes les chaînes de caractères enregistrés par l'analyseur de frappe.

Ethan se concentra sur les données et les photos correspondant aux heures qui avaient suivi l'empoisonnement d'Irena.

Ruby entra dans le bureau, une cannette de Pepsi et une liasse de fax dans les mains.

— Est-ce que je peux t'aider ? demanda-t-elle. J'ai un ordinateur portable à disposition si nécessaire.

— Pouvez-vous le connecter au même serveur que ce PC ? demanda Ethan en lançant le processus de décryptage.

— Bien sûr.

— Dans ce cas, vous pourriez jeter un œil aux copies d'écran pendant que j'épluche les documents de Leonid.

— Et l'historique des consultations Internet ?

Ethan écarquilla les yeux puis scrolla en bas de la page où il trouva un fichier nommé *Historique web*.

— Oh, il m'avait échappé, celui-là.

— Eh bien, je ne suis pas spécialiste, dit Ruby, mais je suppose qu'il s'agit d'une liste de toutes les adresses web que Leonid a visitées.

— Et donc, conclut Ethan, tous les URL des sites bancaires auxquels il s'est connecté. En croisant chronologiquement les copies d'écran et les informations de l'analyseur de frappe, nous devrions pouvoir retracer précisément ses activités en ligne.

Ruby feuilleta sa liasse de fax et tomba en arrêt devant l'un d'eux.

— Ta grand-mère affirme que l'un des amis de son fils est un dirigeant haut placé d'un établissement baptisé Crédit industriel russe, ou CIR.

Ruby entra le nom de la banque sur Google, cliqua sur le lien permettant d'accéder à son site Internet puis se connecta à l'espace client.

— Cherche l'URL de la banque dans le fichier *Historique web*, dit-elle.

Ethan ouvrit le document sous Word, sélectionna la fonction *Recherche* et entra les lettres CIR. Le fichier comprenait une vingtaine de pages, mais le curseur se déplaça instantanément sur la page seize.

— La vache ! lança-t-il en se tournant vers Ruby. Je sais exactement à quelle heure il s'est connecté. Il ne me reste plus qu'à ouvrir le rapport de l'analyseur de frappe.

Il effectua quelques manipulations puis s'exclama :

— Apparemment, son mot de passe est *IlOvmyself* !

Ruby pianota sur le clavier.

— Il y a un système de sécurité. On me demande d'entrer trois chiffres du code de Leonid grâce à des menus déroulants. Sur les copies d'écran correspondant à ce jour et à cette heure, je n'ai que le troisième, le septième et le neuvième.

— Merde, lâcha Ethan.

Ethan consulta l'historique web et trouva trace de deux autres connexions. En consultant les images, Ruby parvint à identifier les chiffres un, deux, cinq et huit du code de Leonid.

Ethan se saisit d'un Post-It et inscrivit : 650?8?447.

— On pourrait essayer de se connecter, suggéra-t-il. Statistiquement, il est probable qu'on ne nous demande aucun des chiffres manquants.

Ruby hocha la tête.

— OK. De toute façon, nous n'avons rien à perdre. Le système ne risque pas de se bloquer après une seule tentative ratée.

Ethan ouvrit un nouvel onglet, entra l'adresse URL de la banque puis composa le mot de passe de Leonid. Aussitôt, un message apparut à l'écran.

*Veuillez entrer le 2ᵉ, le 3ᵉ et le 9ᵉ chiffre de votre code de sécurité.*

— Tu as de la chance, lâcha Ruby.

Ethan but une gorgée de Pepsi, sélectionna les chiffres dans le menu déroulant puis enfonça la touche *Entrée*.

Les mots *Bienvenue, M. Leonid Aramov* apparurent dans l'angle supérieur gauche de la fenêtre. Plus bas figuraient les soldes de cinq comptes. Trois d'entre eux étaient libellés en euros, les suivants respectivement en dollars américains et en roubles. Ce dernier affichait un nombre astronomique.

— Vous connaissez le cours du rouble ? demanda Ethan.

— Environ trente pour un dollar. Neuf cent quatre-vingt-quatre millions de roubles, cela nous fait à peu près trente-deux millions de dollars.

Ethan se fendit d'un large sourire.

— Ce qui signifie que la moitié de l'argent détourné par Leonid se trouve sur ce compte. Je vais essayer de le transférer sur celui de ma grand-mère.

Ruby égrena laborieusement les coordonnées bancaires figurant sur l'un des fax que lui avait adressés Irena Aramov. Dès qu'Ethan les eut fait figurer dans la fenêtre de transfert, un message d'alerte s'afficha.

*Les transferts supérieurs à 2 500 000 roubles requièrent une autorisation spéciale. Veuillez contacter votre conseiller.*

— Bordel ! Si on s'en tient à ce plafond, ça va nous prendre des heures !

— Et le système de sécurité de la banque sera forcément mis en alerte, si nous lançons un grand nombre d'ordres de virement, ajouta Ruby.

— OK, dit Ethan en cliquant sur le menu *Modifier les paramètres*. Pour le moment, faisons en sorte qu'il ne puisse plus accéder à ces comptes.

Il entra le mot de passe à deux reprises puis se trouva confronté à une case libellée *Nom de jeune fille de votre mère*. Lorsqu'il eut achevé la procédure de changement du mot de passe, une fenêtre d'alerte apparut à l'écran.

— Oh non ! s'exclama Ruby. Les changements de paramètres doivent être confirmés par e-mail.

— Pas de panique, grogna Ethan. On dirait que Leonid a ouvert un compte Gmail quelques jours avant de procéder aux transferts. Il ne nous reste plus qu'à dénicher son mot de passe dans les données de l'analyseur de frappe, et nous pourrons valider les modifications...

## 32. Façon Spetsnaz

Kazakov, Ning et Ryan s'étaient posés quelques minutes avant Ethan, à une vingtaine de kilomètres de là. Ils durent patienter dans l'appareil pendant une demi-heure en raison de la présence du prince héritier de Dubaï et de sa délégation dans le terminal réservé aux avions privés.

— Mon mobile ne capte ni signal GSM, ni réseau Wi-Fi, dit Ning. On dirait que quelqu'un bloque toutes les communications.

— C'est exactement ce qui est en train de se passer, répondit Kazakov. Vu qu'un membre de la famille régnante se trouve dans l'aéroport, tous les systèmes ont été brouillés pour éviter qu'un terroriste n'active une bombe à distance à l'aide d'un téléphone portable.

Ning hocha la tête.

— Tous les dirigeants de la région crèvent de trouille, avec ces révoltes dans les pays arabes.

— C'est emmerdant, grogna Kazakov. Il est essentiel que Ryan contacte Ethan au plus vite.

Dès que le jet du prince eut pris les airs, deux employés du terminal placèrent un escalier mobile devant la porte de l'avion. Quelques secondes plus tard, Ning et Ryan virent barres de réception et logo Wi-Fi réapparaître à l'écran.

Il était deux heures de l'après-midi, soit trois heures du matin en Californie, mais compte tenu de l'urgence de la situation, Ryan devait à tout prix entrer en contact avec

Ethan. Tout en foulant le sol de marbre du salon VIP de l'aéroport, il se connecta sous sa fausse identité via le serveur de l'ULFT.

— Je viens juste d'avoir tes messages, dit-il. Ta vie est complètement folle, mec. Tu es sain et sauf ?

— Ryan ! Qu'est-ce que c'est bon d'entendre ta voix ! Je vais bien, ne t'inquiète pas. Je suis à Sharjah, aux Émirats arabes unis.

— À Sharjah ? répéta Ryan.

Il était stupéfait d'apprendre que son camarade avait pu effectuer le trajet depuis le sud de l'Afrique dans un laps de temps aussi bref.

— Ryan, ne le prends pas mal, mais je suis super occupé pour le moment. Je te rappellerai dès que j'en aurai terminé.

— Je peux faire quelque chose pour t'aider ? Tu parlais du site FTP, dans l'un de tes messages.

— C'est réglé, ne t'inquiète pas. Ma grand-mère m'a fait exfiltrer du Botswana à bord d'un vieux bombardier russe, et je suis en train d'étudier les données des ordinateurs de Leonid.

— Parfait, je vais te filer un coup de main. De toute façon, je n'arrive pas à dormir.

— C'est inutile. Je travaille avec une comptable d'Irena. Je suis connecté à la banque en ligne de Leonid, et je viens de découvrir le mot de passe de son compte Gmail. Désolé, mais il faut que je raccroche.

Sur ces mots, Ethan mit un terme à la communication.

— Espèce de sale petit con... grogna Ryan.

Mobile vissé à l'oreille, Ning écoutait attentivement le rapport d'Amy concernant le travail de l'ULFT. Enfin, elle rangea l'appareil dans sa poche et s'adressa à ses coéquipiers.

— Une équipe de la CIA travaille sur les données du site FTP. Apparemment, Leonid a réparti la fortune de sa mère dans une dizaine de banques. Ils ont déjà réussi à récupérer quelques millions sur l'un des comptes, et ils ont bon espoir de prendre le contrôle de l'ensemble des fonds. Alors, comment va Ethan ?

— Il a l'air en pleine forme, répondit Ryan, l'air préoccupé. Il n'a toujours aucun soupçon, mais tôt ou tard, il tombera sur un compte siphonné par nos experts.

Alors qu'ils se trouvaient à proximité du poste de contrôle des passeports, Kazakov eut une illumination :

— Attends, tu as bien parlé de Sharjah, tout à l'heure ?

— Oui, pourquoi ?

L'agent des douanes jeta un bref coup d'œil à leurs papiers puis leur fit signe de se diriger vers le hall d'arrivée.

— J'ai reçu un SMS de Ted m'informant que notre avion pour Londres décollera dans trois heures, annonça Kazakov en s'engageant dans l'escalator menant au rez-de-chaussée de l'aéroport. Mais j'ai d'autres projets.

— On ne rentre pas en Angleterre ? s'étonna Ning.

— Si nous voulons démanteler le clan, il est important que nous prenions le contrôle de l'ensemble de la fortune d'Irena. Comme l'a expliqué Ryan, chaque fois qu'il se connecte à un compte en banque de Leonid, Ethan change le mot de passe. Nous devons le contraindre à nous révéler ces informations.

— On ne devrait pas informer Amy de ce changement de plan ? demanda Ning.

— Je la tiendrai au courant, ne t'inquiète pas. Et je n'imagine pas une seconde qu'elle s'opposera à ma stratégie.

Dès qu'ils eurent franchi la porte automatique menant à l'extérieur du terminal, un chauffeur élégamment vêtu vint à leur rencontre.

— Limousine, monsieur ? dit-il en s'inclinant brièvement devant Kazakov. À quel hôtel dois-je vous conduire ?

— Emmenez-nous à l'aéroport de Sharjah aussi vite que possible.

Les membres de l'équipe entassèrent hâtivement leurs bagages à l'arrière du véhicule puis se glissèrent sur les banquettes. Ryan était un peu déçu. L'intérieur était vieillot et il flottait dans l'air une vague odeur de chien mouillé. Kazakov enfonça le bouton permettant de relever la cloison qui séparait la cabine du chauffeur de l'espace réservé aux clients.

— Tu te débrouilles mieux que moi avec les claviers de mobile, dit-il à l'adresse de Ning. Nous savons que les Aramov sont implantés à Sharjah. Ils possèdent au moins un bureau, peut-être leur propre hangar. Trouve-moi leur adresse.

— Si j'étais toi, je chercherais directement Clanair, suggéra Ryan. C'est la façade légale de leurs activités.

Ning n'eut besoin que de quelques secondes pour localiser le hangar Clanair de l'aéroport de Sharjah. Tandis que la limousine roulait au pas dans les embouteillages, elle reçut un nouvel appel d'Amy.

— Ça ne s'annonce pas très bien, dit cette dernière. Les experts de la CIA ont pris le contrôle de huit des comptes de Leonid et l'ULFT de Dallas essaie de faire bloquer les avoirs détenus en Europe au nom des lois antiblanchiment, mais la majeure partie du magot se trouve en Russie et je crois qu'Ethan nous a pris de vitesse.

— Tu parles d'experts, soupira Ning.

— Ethan a dû être renseigné par sa grand-mère. Il s'est tout de suite concentré sur le compte le plus garni, dans une banque baptisée Crédit industriel russe. Il contrôle désormais la majeure partie de la fortune du clan.

Kazakov fit signe à Ning de lui passer le téléphone.

— Nous sommes en route pour le hangar de Clanair. Nous allons tâcher de mettre la main sur lui. Je suis certain qu'une petite séance d'intimidation façon Spetsnaz le convaincra de lâcher ses codes d'accès.

De retour du bazar Dordoï, André reçut un appel d'Ethan et courut confier le combiné téléphonique à sa grand-mère.

— Ruby a localisé tous les fonds, dit Ethan. Elle estime que quatre-vingt-six millions ont été transférés sur les comptes de Leonid, mais je n'en ai retrouvé que soixante-treize.

— Tu es un bon garçon, soupira Irena.

— J'ai changé les codes d'accès de tous les comptes auxquels j'ai pu accéder. Leonid a dû transférer à la hâte les treize millions manquants dans des banques qui ne figurent pas sur les fichiers piratés. Ça veut dire qu'il doit savoir que nous sommes en train de récupérer l'argent qu'il t'a volé.

— Sans doute, dit la vieille dame. Nous serons bientôt fixés. Mon informateur à l'hôpital vient de me faire savoir qu'il était en route pour le Kremlin.

## 33. Un enfant égoïste

Les employés rassemblés dans le hall du Kremlin s'écartèrent au passage de Leonid et Alex Aramov. L'un des gardes s'enquit de l'état de santé de Boris.

— Il serait en pleine forme si les connards que je paye pour assurer notre sécurité faisaient leur boulot au lieu de picoler! aboya Leonid.

Il se précipita vers une femme de ménage qui patientait devant la cage d'ascenseur et la poussa sans ménagement.

— Tu prendras le prochain, sac à merde.

Lorsque la cabine s'immobilisa au sixième étage, il se dirigea vers ses appartements, Alex dans son sillage.

— Monsieur Aramov, je dois vous demander de rester où vous vous trouvez, fit une voix.

Leonid pivota sur les talons et découvrit deux colosses plantés de part et d'autre de l'ascenseur.

— Vous sortez d'où, vous deux? rugit-il. Retournez au rez-de-chaussée, immédiatement.

L'un des gorilles fit un pas en avant.

— Je vous prie de me remettre toute arme qui se trouverait en votre possession.

— Eh, bas les pattes!

Alors, une porte s'ouvrit, et Irena apparut, assise dans sa chaise roulante poussée par un troisième homme de main.

— Tu as pété les plombs, Maman? Tu as encore avalé trop de pilules?

— La ferme, lâcha la vieille dame. Débarrasse-toi de ton flingue. Et pas de geste brusque. Je leur ai donné l'ordre de t'abattre si tu résistais à l'arrestation.

Leonid se tourna vers les gardes.

— Elle délire, dit-il. C'est à cause des médocs. N'écoutez pas ce qu'elle raconte.

— Je sais que tu as essayé de me tuer, gronda Irena. Mais là encore, tu as raté ton coup, comme pour tout le reste. Maintenant, ôte ton blouson et place ton arme sur la moquette.

Le visage grimaçant, Leonid posa un pistolet automatique entre ses pieds.

— Dégage-le d'un coup de pied, ordonna Irena.

Il s'exécuta sans discuter.

— Enlevez vos chaussures, tous les deux, poursuivit la vieille dame. Je sais que vous avez l'habitude de cacher des lames.

Lorsque Leonid et Alex eurent retiré leurs bottes, les hommes de main procédèrent à une palpation de façon à détecter toute arme dissimulée.

— Comment un fils peut-il ourdir l'assassinat de sa propre mère ? lança Irena. Allons dans mon salon.

Les gardes du corps serraient Leonid et Alex de près. Lorsqu'ils entrèrent dans les quartiers de la vieille dame, ils découvrirent André planté droit comme un *i* près d'une cheminée factice.

— Asseyez-vous, dit Irena.

Les deux prisonniers prirent place sur le canapé. Un rictus arrogant flottait sur les lèvres de Leonid.

— Ça n'a plus d'importance que tu sois encore en vie, Maman. Tu n'as plus un sou. Si j'étais à la place de ces gorilles, je m'inquiéterais sérieusement pour mon prochain salaire.

Irena esquissa un sourire.

— Tu es parvenu à siphonner mon argent, en effet, mais tu n'es pas aussi malin que tu le penses. Tes ordinateurs étaient sous surveillance. Nous avons tout enregistré. Chaque touche enfoncée. Chaque page Internet visitée. Chaque code d'accès. Au cours des deux dernières heures, nous avons modifié tes mots de passe puis nous avons commencé à récupérer ce que tu m'avais volé.

Les traits de Leonid s'affaissèrent.

— Tu es complètement parano ! Je n'ai jamais essayé de te tuer !

— Mon Dieu, réalises-tu à quel point tu es pathétique ? Si tu n'étais pas mon fils, ton cadavre serait déjà en train de pourrir dans un fossé.

Leonid glissa les mains au fond des poches de son blouson puis afficha une moue d'enfant boudeur.

— Je veux le pouvoir, grogna-t-il. Je travaille pour le clan depuis mon treizième anniversaire.

— Je regrette que tu n'aies pas profité de toutes ces années pour devenir un homme. Tu étais un enfant égoïste, et tu n'as guère changé.

Leonid marqua un instant d'hésitation avant de jouer sa dernière carte.

— Si tu veux revoir ton petit-fils, je te conseille de me céder la place.

Irena haussa un sourcil.

— De quel petit-fils parles-tu, je te prie ?

— D'Ethan, évidemment.

— Il m'avait l'air tout à fait dans son assiette, lorsque je l'ai eu au téléphone, il y a dix minutes. C'est une chance qu'il ait hérité de l'intelligence de sa mère. Il te soupçonnait depuis longtemps d'avoir ordonné son assassinat. C'est lui qui a placé tes ordinateurs sous surveillance, histoire d'en avoir le cœur net.

À court d'arguments, Leonid se tourna vers André.

— As-tu trempé dans ce complot ? hurla-t-il. Tu as osé trahir ton père ?

Malgré l'épouvante que lui inspirait Leonid, le petit garçon ne baissa pas les yeux.

— Tu as tué ta sœur, tu as enlevé Ethan et tu as essayé d'assassiner Grand-mère. Sincèrement, lequel d'entre nous est le plus déloyal ?

— Ne t'en prends pas à un enfant de dix ans ! tonna Irena. Je te donne une heure pour faire tes bagages. Je t'autoriserai à monter à bord de l'avion de ton choix, mais si tu remets un pied au Kirghizstan ou si tu essayes d'interférer dans les affaires du clan, je serai impitoyable. Tu recevras une pension mensuelle qui te permettra de vivre confortablement. Étant donné qu'Alex et Boris ont toujours pris ton parti, ils t'accompagneront. André et sa mère feront ce qui leur plaira.

— Je reste ici, lâcha aussitôt André.

— Ça ne se passera pas comme ça, cracha Leonid. Tous les membres du clan savent que tu es finie.

— Finie ? répéta Irena. Peut-être. Mais ça ne signifie pas qu'ils sont prêts à se placer sous tes ordres.

— Espèce de salope !

Irena plissa les yeux et chercha son masque à oxygène du regard.

— Mon propre fils… soupira-t-elle. Je n'en crois pas mes oreilles.

Leonid éclata de rire.

— Nous convoyons la moitié de l'héroïne consommée en Europe. Nous livrons des bombes à fragmentation à des psychopathes. Nous acheminons des filles enlevées à leur famille pour être livrées à la prostitution. N'oublie pas que c'est toi qui m'as appris les ficelles du métier, Maman.

— Ne me parle pas sur ce ton, *mon garçon* ! tempêta Irena avant de s'adresser à ses gorilles. Amenez-le-moi !

Leonid n'avait rien d'un gringalet, mais les gardes du corps, qui le dominaient tous d'une tête, n'eurent aucune difficulté à le maîtriser.

— À genoux ! ordonna Irena avant de se tourner vers André. Toi, apporte-moi la dague de ton grand-père ! Là, sur la cheminée.

D'une main tremblante, le petit garçon se saisit de l'arme et la remit à sa grand-mère. Son défunt mari, soldat de l'armée rouge, avait trouvé ce long couteau sur le corps d'un officier allemand.

Irena tira la lame de son fourreau et en posa le fil sur la gorge de son fils.

Cette fois, Leonid essaya de se dérober, mais ne put échapper à l'emprise des gorilles.

— Je ne devrais pas te laisser la vie sauve, dit la vieille dame, mais pour moi, tu resteras toujours le petit enfant qui jouait dans le jardin avec Josef et Galenka.

Croyant s'en tirer à bon compte, Leonid esquissa un sourire. André, lui, lâcha un soupir de soulagement. En dépit du mépris qu'il éprouvait pour son père, il n'était pas prêt à le voir se vider de son sang sur la moquette. Soudain, Irena, excédée par le rictus de son fils, saisit son oreille droite et la trancha sans l'ombre d'une hésitation.

Épouvantés, les gardes lâchèrent leur prisonnier. Ce dernier poussa un hurlement à glacer le sang, tenta de se jeter sur la vieille dame mais fut brutalement repoussé contre un mur.

— Une heure, répéta-t-elle. Posez-lui un bandage puis gardez-le à l'œil jusqu'à ce que son avion ait quitté le sol.

André fut pris d'un haut-le-cœur à la vue du sang répandu sur le sol.

— Emmenez-le, ordonna Irena en laissant tomber l'oreille à ses pieds. Et faites venir une femme de ménage. J'ai toujours adoré ce tapis.

···

La limousine s'engageait sur la voie d'accès à l'aéroport de Sharjah lorsque la sonnerie du portable de Ryan retentit. L'inscription *International* s'afficha à l'écran.

— Salut, mec, dit Ethan.

Ryan posa un doigt sur l'écouteur et chuchota :

— C'est lui.

Ning et Kazakov hochèrent la tête et observèrent le silence.

— Ethan, mon pote ! Comment ça va ?

— Je viens de prendre mon oncle à son propre jeu ! Je l'ai massacré !

— Sérieux ? Qu'est-ce qui s'est passé ?

— Il a essayé de dépouiller ma grand-mère, mais j'ai découvert tous ses identifiants bancaires et ses codes d'accès Internet. J'ai changé ses mots de passe, bloqué la plupart de ses comptes et récupéré l'argent qui s'y trouvait.

— Génial, dit Ryan. Il doit être fou de rage.

— La dernière fois que j'ai eu de ses nouvelles, il se dirigeait vers le Kremlin. Je pense qu'il va passer un sale quart d'heure.

— Mais au fait, où est-ce que tu te trouves ?

— Dans une bagnole. Ruby, une employée de ma grand-mère, a insisté pour me conduire à un hôpital de Dubaï. J'ai sauté du deuxième étage d'un immeuble, à Kanye, et je me suis salement amoché la cheville.

— Ah, tu roules vers Dubaï, répéta Ryan afin que ses coéquipiers sachent de quoi il retournait.

Ning brandit son mobile devant ses yeux. Sur l'application bloc-notes, elle avait inscrit : PARLE-LUI DES MOTS DE PASSE.

— On dirait que tu as repris le contrôle de ton destin, mec !

— Ça ne ramènera pas ma mère à la vie, mais au moins, j'aurai la satisfaction de l'avoir vengée.

— Il vaudrait mieux que tu n'oublies pas les nouveaux mots de passe, lança Ryan sur le ton de la plaisanterie.

— Ne t'inquiète pas pour ça. Ils sont à l'abri, dans un endroit connu de moi seul. Au fait, j'espère que tu ne l'as pas mal pris, tout à l'heure, quand j'ai été obligé de raccrocher, mais c'était vraiment la panique.

— Mais pas du tout, voyons. Qu'est-ce que tu vas t'imaginer ?

— Bon, il faut que je te laisse, on arrive devant l'hôpital. Je t'appellerai demain. On pourra discuter tranquillement.

— OK, répondit Ryan. On reste en contact.

— Entre toi et moi, c'est à la vie, à la mort.

Dès que Ryan eut mis un terme à la conversation, Kazakov enfonça le bouton de l'intercom et s'adressa au chauffeur.

— Faites demi-tour. Nous retournons à Dubaï. Je vous donnerai davantage de précisions dans quelques instants.

Ryan se tourna vers Ning.

— Ethan a dit que les mots de passe étaient en lieu sûr. À mon avis, il n'a pas commis l'imprudence de les imprimer.

— Quels comptes en ligne utilise-t-il ?

— Skype, Hotmail et Facebook. Je connais tous ses identifiants. Monsieur, pourrais-je emprunter votre ordinateur ?

— Bien entendu, répondit Kazakov en désignant une sacoche parmi les bagages entassés entre les deux banquettes.

Tandis que Ryan connectait le PC au réseau 3G local, Ning utilisa le navigateur de son téléphone pour dresser une liste des hôpitaux où Ethan avait pu être conduit. La voie rapide étant encombrée dans les deux sens de circulation, elle se concentra sur la frontière des émirats.

— Ce doit être l'un de ces deux-là, dit-elle. Ils sont situés à moins de cinq kilomètres.

Ryan se connecta au portail de CHERUB et accéda à l'espace personnel où il conservait les données relatives à ses missions. Il cliqua sur le dossier qui contenait les identifiants et les mots de passe d'Ethan puis accéda à son compte Hotmail. Dans la boîte de réception, il trouva une tonne de spams. Parmi les brouillons, il dénicha une liste de banques, de numéros de compte, de codes d'accès et de mots de passe.

— Nom de Dieu, tout est là ! jubila-t-il.

Ning se pencha pour jeter un œil à l'écran et se fendit d'un large sourire.

Ryan composa le numéro d'Amy mais entendit la voix de Ted à l'autre bout du fil.

— Elle est aux toilettes. Je peux t'aider ?

— Je viens de parler à Ethan. Il était en route pour l'hôpital. Comme il m'a dit qu'il avait mis les mots de passe en lieu sûr, je me suis connecté à sa boîte Hotmail. Figure-toi qu'il a noté toutes les infos permettant d'accéder aux comptes dans un brouillon. Elles sont là, devant mes yeux.

— Quel coup de bol ! Envoie cette liste par e-mail au QG de Dallas. Les analystes de la CIA se chargeront de changer les mots de passe.

— OK, le temps de faire un copier/coller.

— Nous devons vérifier que ces informations nous permettent de contrôler *tous* les comptes de Leonid. Pour le moment, votre priorité reste de mettre la main sur Ethan.

— Il croit que je suis en Californie. S'il m'aperçoit, ma couverture est grillée.

— Dans ce cas, tâche de te faire discret ou achète une cagoule à la boutique de l'hôpital, ricana Ted.

## 34. Coup fatal

Amy rappela Ryan alors que la limousine approchait d'un bâtiment aux vitres miroir flanqué d'un immense parc de stationnement dont la moitié des places était inoccupée.

— J'ai d'excellentes nouvelles, annonça-t-elle. La CIA s'est connectée au système de santé informatisé de Dubaï. Il y a dix minutes, un garçon nommé Ethan Aramov a été admis à l'Institut médical du Golfe.

— Parfait, on se dirige justement vers le parking.

— Il se trouve aux urgences, box d'examen numéro seize. Son cas n'ayant pas été jugé grave, il sera examiné par un certain Dr Patel dans une quinzaine de minutes.

Ryan répéta ces informations à ses coéquipiers.

— Deuxième chose, nous nous sommes connectés au compte du Crédit industriel russe sur lequel Leonid a détourné la majeure partie de l'argent d'Irena. Conformément à la législation, Ethan n'a pu effectuer que des transferts de deux millions et demi de roubles vers les comptes de sa grand-mère, mais ce plafond ne vaut que pour les transferts interbancaires. Nos experts ont repéré un compte du Crédit industriel appartenant à une agence de publicité américaine et y ont versé les neuf cents millions de roubles en une seule opération.

— Ça veut dire que les Aramov n'ont plus un sou, résuma Ryan.

— On les tient par les bijoux de famille, confirma Amy. Dan est au Kremlin. Il doit nous contacter pour nous informer de la situation sur place.

— Formidable. Les choses tournent enfin à notre avantage.

La limousine s'immobilisa devant l'entrée de l'hôpital. Tandis que Ning et Ryan récupéraient les bagages, Kazakov sortit son portefeuille de sa poche et tendit sa carte bancaire au chauffeur.

— Je n'accepte que les espèces.

L'instructeur exhiba une liasse d'euros.

— Je veux des dirhams, grogna le chauffeur.

— Je n'ai pas eu le temps de passer au distributeur, expliqua Kazakov avant de se tourner vers Ning. Il te reste de la monnaie locale ?

— J'ai donné tout ce qui me restait à Alfie avant de quitter l'école.

Hors de lui, le chauffeur descendit du véhicule.

— Si vous croyez que je ne vous vois pas venir ! hurla-t-il en pointant l'index en direction de Kazakov. D'abord, vous me demandez d'aller à Sharjah, puis ici, et maintenant, vous n'avez pas d'argent !

Un vigile portant un dossard fluorescent franchit les portes automatiques de l'hôpital.

— Y a-t-il un distributeur de billets à l'intérieur ? lui demanda l'instructeur.

— Il refuse de payer la course ! brailla le chauffeur.

L'agent de sécurité désigna un automate bancaire situé dans le hall de l'établissement, à une quinzaine de mètres. À cet instant, Ryan perçut un crachotement discret provenant de son BlackBerry.

— Allô ? dit-il.

— Ça faisait longtemps, répondit le Dr D.

Ryan manqua de s'étrangler.

Le Dr D, petite femme à la voix grinçante, était à la tête de l'ULFT, une fonction qui faisait d'elle la supérieure hiérarchique de Ted et Amy. La dernière fois qu'ils s'étaient rencontrés, en Californie, ils s'étaient violemment disputés au sujet d'Ethan. Confronté à son refus de l'exfiltrer du Kirghizstan, Ryan s'était emporté au-delà de toute mesure et l'avait brutalisée. Cet acte stupide lui avait valu un retour express en Angleterre et cinq cents heures de travaux d'intérêt général au centre de recyclage des déchets du campus de CHERUB.

Le Dr D triomphait. Si sa décision initiale avait failli entraîner la mort d'Ethan, il était désormais hors de danger, et l'ULFT était sur le point de démanteler l'empire criminel des Aramov.

— Je voudrais que nous tirions un trait sur nos différends passés, dit-elle. Tu sais, il nous arrive à tous de commettre des actes irréfléchis.

— Comme vous voudrez, bredouilla Ryan.

— Nous sommes en train de gagner notre combat contre le clan Aramov, et tu as pris une part importante à ce succès. Je suis en route pour Dubaï, mais je ne serai pas là avant demain matin. Tu as retrouvé la trace d'Ethan, si j'ai bien compris ?

— Oui, même si nous n'avons plus besoin de lui, puisque nous avons tous les mots de passe.

— Nous tenons les Aramov, mais c'est maintenant que tout se joue. Nous devrons être patients avant de leur porter le coup fatal.

Ryan avait étudié cette problématique lors des cours théoriques dispensés dans le cadre du programme d'entraînement. Décapiter un gang de rue, un groupe terroriste ou le gouvernement d'un État mafieux sans s'attaquer à l'ensemble de sa structure pouvait mener à l'émergence d'une foule de petits groupes incontrôlables, plus dangereux encore.

— Le démantèlement du clan prendra entre six mois et deux ans, confirma le Dr D.

Des éclats de voix provenant de l'intérieur de l'hôpital parvinrent aux oreilles de Ryan. Apparemment, la carte de Kazakov n'était pas acceptée par le distributeur de billets.

— J'en ai une autre dans mes bagages, plaida l'instructeur. Laissez-moi aller la chercher.

— Je vais appeler la police ! tempêtait le chauffeur.

Ryan sortit un portefeuille de la poche arrière de son jean.

— Attendez une minute, dit-il au Dr D. Je dois sauver la peau de Kazakov.

Il franchit les portes automatiques de l'hôpital, lui remit sa carte de retrait et lui chuchota son code confidentiel à l'oreille.

— Désolé, reprit-il en regagnant le trottoir. Vous disiez ?

— Tout d'abord, tu vas entrer en contact avec Ethan. Tu lui feras connaître la nature réelle de tes activités, sans jamais mentionner l'existence de CHERUB, puis tu l'informeras que nous contrôlons toute la fortune d'Irena.

— Il va m'en vouloir à mort…

— Probablement. Mais tu tâcheras de faire appel à son sens moral. Il ne peut pas ignorer l'ampleur des crimes dont sa famille s'est rendue coupable.

— Je ferai de mon mieux. Je comprends que nous devons procéder en douceur pour liquider l'organisation, mais je ne vois toujours pas pourquoi Ethan est si important.

— Irena pense qu'il vient de sauver son empire. Il l'a dans la poche, et nous savons qu'elle est trop prudente pour s'entretenir au téléphone avec de parfaits inconnus. Ted et Amy pourraient se rendre au Kremlin pour initier des pour-parlers, mais…

— Si elle refuse de coopérer, ils risquent d'y laisser leur peau.

— Précisément, dit le Dr D. Une fois qu'Ethan sera de notre côté — ou au moins sous notre contrôle —, nous le chargerons de transmettre notre ultimatum à Irena.

— Le pauvre. Tout le monde le manipule, même moi.

— Je ne suis pas insensible à son cas, tu sais. Mais les souffrances qu'il a endurées ont permis de mettre un terme aux crimes commis par le clan. Lorsque tout sera terminé, nous veillerons à son avenir, je te le promets.

— Et comment allons-nous persuader Irena de coopérer ?

— Elle a passé sa vie à bâtir l'organisation, expliqua le Dr D. Si elle nous laisse en prendre le contrôle en douceur, sa famille bénéficiera de notre protection. Elle pourra finir ses jours dans de bonnes conditions.

— Et sinon ?

— Sans argent, le clan sera paralysé. Les aéroports ne laisseront plus ses appareils décoller tant que les factures de carburant n'auront pas été réglées. Les hommes demeurés fidèles à Leonid tenteront de prendre le pouvoir par la force, mais ils ne seront pas plus avancés. À mesure que l'état de santé d'Irena s'aggravera, le clan sombrera dans l'anarchie.

— Mais c'est ce que nous souhaitons éviter, n'est-ce pas ?

— Exact. C'est pourquoi nous devons agir avec la plus extrême prudence.

— Quand devrai-je approcher Ethan ? Maintenant ?

— Non. Il doit être épuisé, et j'ai besoin de temps pour peaufiner ma stratégie. Pour le moment, gardez l'hôpital sous surveillance. S'il est transféré, filez-le. Je vous recontacterai dès que j'aurai du nouveau.

En se tournant vers le hall, Ryan vit Kazakov remettre des billets au chauffeur de la limousine.

— C'est entendu, dit-il avant de mettre un terme à la communication.

## 35. Kuban

L'Institut médical du Golfe occupait un bâtiment ultramoderne, tout en atriums, en verrières et en portes automatiques. Dans les couloirs décorés d'élégantes plantes vertes, des niches meublées de sofas permettaient aux visiteurs de se détendre en regardant la télévision.

Les analystes de la CIA qui avaient piraté la base de données du système de santé de l'émirat tenaient Amy informée en temps réel. La radiographie avait confirmé que la cheville d'Ethan n'était pas fracturée. Un infirmier avait nettoyé la multitude de petites plaies dont son corps était constellé avant de le conduire dans sa chambre individuelle.

Constatant un sévère état de déshydratation – une conséquence du désordre intestinal dont il avait souffert au Botswana –, le médecin l'avait placé sous perfusion. Enfin, on lui avait administré un sédatif.

Ruby demeura à son chevet jusqu'à vingt et une heures. Amy essaya vainement d'obtenir l'assistance d'un agent de renseignement auprès des ambassades américaine et britannique. En désespoir de cause, elle dut confier la surveillance d'Ethan à l'équipe de CHERUB. Ryan, Ning et Kazakov s'installèrent dans une alcôve, à une dizaine de mètres de la chambre d'Ethan.

N'ayant pu dormir que quelques heures la nuit précédente, ils étaient exténués. Kazakov s'offrit plusieurs cafés serrés à un distributeur automatique puis autorisa ses coéquipiers à s'endormir. Ces derniers se pelotonnèrent l'un contre l'autre sur un sofa puis s'efforcèrent d'ignorer les allées et venues des patients et des membres du personnel. Ryan sombra presque aussitôt mais Ning, incapable de trouver le sommeil, se plongea dans la lecture de magazines de mode disposés sur une table basse.

— Bon, il faut que j'aille aux toilettes, dit-elle lorsqu'une heure se fut écoulée. Et puis je n'en peux plus de rester assise. J'ai besoin de me dégourdir les jambes. Voulez-vous que je vous apporte quelque chose à boire?

— Non merci, répondit Kazakov. Je n'ai besoin de rien.

Ning remonta le couloir jusqu'aux toilettes du hall d'accueil. Au moment où elle quittait les lieux après s'être aspergé le visage au-dessus du lavabo, elle vit deux individus portant le même jean et le même blouson de cuir franchir les portes automatiques de l'établissement. Ning trouva le visage de l'un d'eux familier, mais mit ce phénomène sur le compte du manque de sommeil. Puis un nom s'imposa à son esprit. *Kuban.*

C'était l'homme de main de Leonid Aramov qui l'avait soumise à la torture et assassiné sa mère adoptive. Les deux gorilles se dirigèrent droit vers le couloir où se trouvait la chambre d'Ethan. Elle se glissa derrière une plante verte, sortit son mobile et composa le numéro de Kazakov.

— Deux hommes de Leonid avancent dans votre direction. Vous les aurez en visuel dans quelques secondes.

Ryan fut brutalement arraché à un rêve dans lequel il dévorait un seau d'ailes de poulet KFC.

— Eh, pourquoi vous me secouez comme ça? bredouilla-t-il.

— Ning dit que deux hommes de Leonid arrivent droit sur nous, annonça Kazakov. Je vais essayer de les retarder. Toi, tu improvises. Essaye de mettre Ethan en lieu sûr.

La silhouette des tueurs apparut à l'extrémité du couloir. L'instructeur se leva et vint à leur rencontre.

— Je peux vous être utile, messieurs ? lança-t-il sans chercher à dissimuler son accent ukrainien.

Convaincu qu'il avait affaire à un garde du corps à la solde d'Irena, Kuban fit craquer ses phalanges.

— Contentez-vous de ne pas interférer, dit-il.

— Désolé, mais je ne peux pas vous laisser passer. Comportons-nous en personnes raisonnables, entendu ?

Kuban tira un pistolet automatique de son étui d'épaule.

— Et ça, c'est raisonnable ?

Kazakov leva les mains au-dessus de sa tête en signe de reddition. Le second homme de main brandit un poing américain et lui porta un violent coup à la tempe.

— Ouch, ça doit faire mal, ricana Kuban.

L'instructeur s'effondra à ses pieds, sans connaissance.

— Il peut s'estimer heureux qu'on n'ait pas de silencieux, dit son complice.

Quelques secondes plus tôt, Ryan s'était glissé hors de l'alcôve et avait longé furtivement le mur jusqu'à la chambre d'Ethan.

La peur au ventre, il étudia la pièce plongée dans la pénombre et écouta le ronflement discret de son camarade. Une aiguille d'intraveineuse était plantée dans son bras. Sa cheville était rehaussée de façon à en réduire le gonflement.

D'un coup de talon, Ryan fit coulisser la porte de la salle de bains attenante puis il se précipita vers le lit.

Réveillé en sursaut, Ethan sentit des mains le saisir sous les épaules et le tirer hors de sa couchette. Le tuyau de l'intraveineuse se tendit, puis l'aiguille fut arrachée à son bras. Il lâcha une plainte discrète.

— Pas un bruit, ordonna Ryan.

Au mépris de la douleur que lui causait sa blessure au ventre, il traîna Ethan jusqu'à la salle de bains.

— Ryan ? bégaya Ethan, assommé par les sédatifs. Mais qu'est-ce que tu fiches ici ?

— C'est une longue histoire. Fais-moi confiance. Contente-toi de suivre mes instructions.

Dès que Ryan eut refermé la porte coulissante, les tueurs firent irruption dans la chambre, traînant Kazakov par les poignets et les chevilles.

— Où est-il ? gronda Kuban après avoir déposé sa victime derrière le lit.

Ryan tourna le verrou, aida Ethan à s'asseoir dans le bac de douche puis tira le rideau.

— Ces types bossent pour Leonid, chuchota-t-il. Fais-toi le plus discret possible.

Le verrou était équipé d'un système de sécurité qui en permettait l'ouverture depuis l'extérieur à l'aide d'une pièce de monnaie ou d'un tournevis. Tandis que Kuban explorait le contenu de ses poches, Ryan entrouvrit la porte.

— Qu'est-ce que vous voulez ? demanda-t-il en russe.

S'il avait le même âge qu'Ethan, on ne pouvait imaginer deux garçons plus dissemblables sur le plan physique. En outre, il portait un jean et un T-shirt, et non un pyjama, comme tous les patients de l'hôpital. Kuban et son complice connaissaient-ils Ethan ? Dans le cas contraire, mordraient-ils à l'hameçon ? Les tueurs affichaient une expression indéchiffrable.

— Qu'est-ce que vous faites dans ma chambre ? poursuivit-il. Est-ce que vous savez au moins qui je suis ?

À ses mots, le visage de Kuban s'illumina.

— Oui, je sais qui tu es. Et je n'aimerais pas être à ta place, quand tu te retrouveras devant ton oncle Leonid.

Le second homme de main fit la moue.

— Tu es sûr que c'est lui ?

— Chambre six cent neuf, expliqua Kuban en désignant la plaque vissée sur la porte. Ton garde du corps a la migraine, petit. Il va falloir que tu nous suives.

Embusquée à l'entrée du couloir, Ning avait vu Ryan se glisser dans la chambre, puis être rejoint par les gorilles qui avaient mis Kazakov hors de combat. Ignorant quelle stratégie elle devait adopter, elle préféra contacter Amy.

— Si ces hommes sont armés, ne t'en approche pas, dit cette dernière. Essaye plutôt d'identifier le véhicule à bord duquel ils ont rejoint l'hôpital.

— Entendu.

À cet instant, elle vit Ryan quitter la chambre encadré par les tueurs et avancer vers l'extrémité opposée du couloir. Elle était sidérée par le courage et la vivacité d'esprit dont il avait fait preuve en se substituant à Ethan au mépris du danger.

Laissant leur otage ouvrir la marche, les gorilles franchirent une porte battante portant l'inscription *Réservé au personnel*. Ning remonta le couloir au pas de course puis compta jusqu'à cinq avant de jeter un œil dans la pièce où son coéquipier venait de disparaître. Elle découvrit une buanderie encombrée de balles de linge sale. Alors, un cri retentit dans son dos.

— À l'aide !

Ning comprit que cette exclamation provenait de la chambre d'Ethan.

— Infirmier ! hurla le garçon.

Estimant qu'Ethan était pris en charge et ne courait plus aucun danger immédiat, elle entra dans la buanderie et progressa prudemment entre les monticules de draps. Elle entendit un claquement puis, quelques secondes plus tard, le rugissement d'un moteur. À l'évidence, Ryan et les tueurs avaient embarqué à bord d'une voiture conduite par un complice.

Tout en composant le numéro d'Amy sur son mobile, elle longea un mur formant un L et poussa la porte anti-incendie qui venait de se refermer. Le véhicule avait démarré en trombe. Sa plaque minéralogique était déjà illisible.

— Un monospace de couleur sombre, c'est tout ce que je peux dire.

— OK, on va essayer de travailler là-dessus.

— Amy, Ryan a été kidnappé, et Kazakov est dans les pommes. Je suis livrée à moi-même.

— Garde ton calme, dit la jeune femme, guère plus rassurée que sa subordonnée. Je vais contacter les ambassades américaine et britannique. Ils ont forcément un ou deux agents de renseignement prêts à intervenir en cas d'urgence.

Quand Ning regagna le couloir, elle vit une infirmière s'engouffrer dans la chambre. Redoutant qu'on la soupçonne d'être impliquée dans l'incident, elle se dirigea vers l'alcôve en prenant soin de ne pas courir.

Le sol et les bagages de l'équipe étaient mouchetés de gouttes de sang. Une traînée écarlate courait du sofa jusqu'à la porte d'Ethan.

Une seconde employée accourut en poussant un brancard roulant.

— J'ai peur qu'il ne souffre d'une fracture du crâne, expliqua sa collègue. Bon sang, cet homme est une montagne de muscles !

Les infirmières traînèrent Kazakov dans le couloir puis le firent rouler sur le brancard placé en position basse. Plusieurs patients, alertés par leurs exclamations, surveillaient la scène depuis le seuil de leur chambre.

— Nous devons d'abord nous occuper de ce monsieur, lança l'une des jeunes femmes à l'adresse d'Ethan. Ne bouge pas d'ici. Quelqu'un va venir nettoyer le sol et rebrancher ta perfusion.

Lorsque les infirmières eurent disparu à l'extrémité du couloir, Ning entra prudemment dans la chambre. Elle trouva Ethan à quatre pattes derrière le lit.

— Salut, lança-t-elle. Tu cherches quelque chose ?

— J'ai la trouille, bredouilla Ethan, en proie à la plus extrême confusion. Je crois que j'ai des hallucinations, à cause des médicaments. Il faut que j'appelle ma grand-mère. Vous pouvez m'aider à retrouver mon téléphone ?

— Des hallucinations ?

— Ce garçon, mon ange gardien. Il m'a sauvé la vie quand j'étais en Californie. Mon oncle a envoyé des types pour me kidnapper, et il a surgi de nulle part pour prendre ma place.

Ning esquissa un sourire.

— Ryan n'a rien d'un ange, dit-elle.

Ethan n'en croyait pas ses oreilles.

— Vous le connaissez ?

— Oui. Je ne peux pas entrer dans les détails, mais je pense que les types qui sont venus te chercher ne vont pas tarder à réaliser qu'ils se sont trompés d'objectif.

— Qui es-tu, toi ? Je suis encore en train de rêver ou quoi ?

— J'imagine ce que tu peux ressentir, dit Ning en poussant la chaise roulante près du lit. Tu es juste en observation, n'est-ce pas ? Tu ne risques rien si je te fais sortir d'ici ?

— Me faire sortir d'ici ? Mais pour m'emmener où ?

— Nous verrons plus tard. L'important, c'est que les hommes de Kuban ne te trouvent pas dans cette chambre, s'ils s'aperçoivent qu'ils se sont trompés de client.

— Eh bien, on peut dire que tu arrives au bon moment. Es-tu un ange gardien, toi aussi ?

## 36. Aussi simple que ça

Ryan n'avait eu que quelques secondes pour prendre la décision de se substituer à Ethan. Cet acte témoignait de sa bravoure, mais aussi de la culpabilité qu'il éprouvait à l'égard de son camarade. Il se sentait pleinement responsable des souffrances qu'il avait endurées depuis qu'il était entré en contact avec lui.

À trois heures du matin, le monospace s'immobilisa devant un immeuble de bureaux décrépi situé à proximité de l'aéroport de Sharjah. Les gorilles et leur chauffeur le conduisirent au deuxième étage, puis le forcèrent à franchir une porte sur laquelle figurait l'inscription *China Pacific Holdings*. Ryan devina qu'il s'agissait d'une des innombrables compagnies servant de façade légale aux activités du clan Aramov. Kuban désactiva le système d'alarme puis actionna les interrupteurs commandant les plafonniers.

Ryan découvrit une pièce tapissée de dalles de moquette grise et élimée, six bureaux métalliques identiques flanqués de blocs tiroirs, une kitchenette et des rayonnages croulant sous les boîtes d'archivage en carton. Kuban enfonça la touche on/off d'un vieux Mac Pro.

— Si tu coopères, on ne te fera pas trop de mal. À toi de choisir. Tu as changé les codes d'accès de ton oncle et tu as piqué tout son fric. Il m'a chargé de le récupérer. C'est aussi simple que ça.

Ryan envisagea de révéler à Kuban qu'il y avait erreur sur la personne, mais il croyait son interlocuteur capable de le liquider afin de ne pas laisser de témoin. Aussi décida-t-il d'observer le silence.

— Tu es sourd ? gronda ce dernier.

Le chauffeur força Ryan à s'asseoir sur une chaise qu'il fit rouler jusqu'au bureau.

— Réponds-moi, quand je te parle, insista Kuban.

Le logo Apple apparut à l'écran.

— Tu es drôlement courageux pour oser t'en prendre à Leonid. Ça, je dois le reconnaître.

Sur ces mots, il fit glisser la souris vers son otage.

— Tu as trois secondes, tonna-t-il en frappant du poing sur la table.

Ryan ouvrit une page Safari.

— Qu'est-ce que je suis censé faire ?

— Tu le sais parfaitement. L'essentiel du pactole se trouvait sur un compte du Crédit industriel russe. Commence par celui-là.

Ryan prit tout son temps pour pianoter le nom de la banque sur Google. Omettant délibérément de préciser le mot *russe*, il cliqua sur le premier lien venu et accéda à un établissement homonyme basé aux Caraïbes. Il espérait pouvoir gagner quelques minutes, mais Kuban ne se laissa pas duper.

— Tu me prends pour un con ? Tu veux que je te montre ce qui arrive à ceux qui se foutent de ma gueule ?

Kuban hocha la tête en direction de son complice.

— Corrige ce merdeux.

Le colosse saisit sa victime par le col, le traîna sur quelques mètres, ouvrit une porte d'un coup de pied puis le poussa dans un cabinet de toilettes. Une épouvantable odeur d'urine sauta aux narines de Ryan. Il se sentit soulevé dans les airs, bascula en avant et plongea la tête dans le liquide fétide. Il demeura ainsi pendant d'interminables secondes, ses côtes douloureuses pressées contre les parois de céramique. Enfin, son tourmenteur actionna la chasse d'eau, et un flot de liquide désinfectant s'engouffra dans ses narines.

— Alors, elle est bonne ? ricana le gorille avant de refermer le couvercle des toilettes, d'y poser un genou et de peser de tout son poids.

Ryan était à bout de souffle. La pression sur son dos était insoutenable. Le produit chimique lui brûlait la peau et les muqueuses nasales. Il poussa un cri muet et lâcha une gerbe de bulles.

L'homme le saisit par les cheveux et tira sa tête en arrière.

— Tu as quelque chose à déclarer ? Tu sais, cette petite baignade n'est rien en comparaison de ce que nous te ferons subir si tu ne la joues pas franc jeu. Compris ?

Ryan fut secoué d'une quinte de toux puis il bégaya :

— Oui, c'est compris.

Kuban se pencha dans l'espace étroit.

— Ramène-le devant le Mac, dit-il.

Les cheveux dégoulinant de liquide bleu, Ryan dut reprendre place sur la petite chaise. À cet instant, une idée germa dans son esprit.

— Je ne me souviens pas, gémit-il. Tous les comptes requièrent un mot de passe et un code de sécurité. Tout à l'heure, j'avais de quoi prendre des notes et je disposais de documents transmis par ma grand-mère.

— Et ces papiers se trouvent toujours à l'hôpital ? demanda Kuban.

— Non. Tout est resté au hangar de Clanair.

— Dans le bureau de Ruby ?

— Oui, mentit Ryan.

Kuban se tourna vers le chauffeur.

— Dans combien de temps peut-on y être ?

— Dans une dizaine de minutes.

— Tu crois qu'on aura le champ libre ?

— Il y a toujours un garde en faction. Et les mécaniciens travaillent la nuit, chaque fois que c'est nécessaire. Mais j'ai un badge d'accès. Ça ne devrait pas poser de problèmes.

— OK, vous allez vous y rendre immédiatement, dit Kuban avant de se tourner vers son prisonnier. Toi, explique-leur précisément ce qu'ils doivent chercher.

— On ne peut pas l'emmener avec nous ? demanda le colosse.

— Non. Personne ne doit le voir. Allez, petit, donne-nous tous les détails. Et je te conseille de dire la vérité, sinon…

Ryan jubilait intérieurement. Le résultat de sa stratégie dépassait toutes ses espérances. Il avait espéré se débarrasser de l'un de ses adversaires, et voilà qu'il allait se retrouver seul en compagnie de Kuban.

— Ruby a tout mis sous clé, dit-il. La liste des nouveaux mots de passe, ainsi que les fax de ma grand-mère.

— Sous clé ? répéta Kuban. Où ça ? Dans un coffre ?

Ryan s'accorda un bref instant de réflexion. À l'évidence, le chauffeur connaissait bien le hangar de Clanair. Il devait se garder d'être trop précis.

— Non, je ne pense pas. C'est une sorte… d'armoire métallique.

Le chauffeur hocha la tête.

— Je crois que je vois de quoi il veut parler. Il y a un placard anti-incendie, au fond du bureau de Ruby. C'est là qu'elle conserve les certificats d'immatriculation et les carnets d'entretien.

— Tu crois que tu pourras entrer ? demanda Kuban.

— Il faudra que je me procure un pied-de-biche. Je vais devoir passer à mon appartement. C'est à deux minutes.

— Très bien, allez-y. Je surveillerai le gamin. Si vous ne trouvez rien, nous devrons nous procurer l'adresse de Ruby.

— Elle a sans doute laissé ses coordonnées à l'Institut médical, fit observer le chauffeur. Mais si on l'a informée de la disparition du garçon, elle aura sûrement pris des dispositions pour assurer sa sécurité.

Kuban se frotta pensivement le front.

— Soyez prudents, mais je crois qu'Irena n'a pas beaucoup d'hommes sous la main. Le garde du corps que nous avons maîtrisé à l'hôpital n'était même pas armé. Je vous fais confiance pour prendre les bonnes décisions.

— Si tout se passe bien, on sera de retour dans moins d'une heure, dit le chauffeur en faisant tinter un trousseau de clés.

Dès que les deux hommes se furent mis en route, Ryan observa attentivement le bureau. Il repéra un extincteur qui pourrait faire office d'arme par destination, mais il se trouvait dans l'angle opposé de la pièce.

— J'espère que tu ne nous as pas menés en bateau, gronda Kuban. Leonid est totalement incontrôlable. Ne crois pas que ton nom te sauvera.

— Je peux aller aux WC ?

— Mais tu en viens, mon petit ! s'esclaffa l'homme de main.

Ryan se leva puis se dirigea vers les toilettes.

— Eh ! lança Kuban. Est-ce que je t'ai donné l'autorisation ?

— Sérieux ? Vous préférez que je pisse dans mon froc ?

Son interlocuteur secoua la tête, accompagna son prisonnier et demeura derrière la porte, prêt à intervenir.

Ryan considéra son reflet dans le miroir et resta saisi par l'aspect de ses yeux rougis par le produit chimique. Tout en se soulageant, il chercha du regard un objet qui lui permettrait de mettre Kuban hors d'état de nuire, mais ne trouva rien d'autre qu'un rouleau de papier hygiénique posé sur le rebord d'une fenêtre en verre dépoli et une ventouse équipée d'un manche de bois.

Il considéra froidement la situation et estima qu'il disposait de deux avantages sur son adversaire. D'une part, Kuban ignorait qu'il avait affaire à un agent de renseignement rompu aux techniques de combat à mains nues les plus dévastatrices. D'autre part, il ne prendrait pas le risque d'utiliser son arme, sous peine de tuer la seule personne en mesure de lui communiquer les nouveaux codes d'accès aux comptes de Leonid.

Ryan tira la chasse d'eau, reboutonna sa braguette, pivota sur les talons et poussa le verrou.

— Sors d'ici immédiatement, sale petit con ! hurla Kuban.

Tandis que ce dernier s'attaquait à la porte à coups d'épaule, Ryan brisa la vitre à l'aide du manche de la ventouse. Il ôta son T-shirt, l'enroula autour de sa main et saisit un long éclat de verre. Au même instant, les gonds se brisèrent. Emporté par son élan, Kuban percuta violemment le mur situé face à lui.

Sans l'ombre d'une hésitation, Ryan frappa à l'aide de son arme improvisée, ouvrant une large plaie sur la joue de son ennemi. Lorsque ce dernier leva instinctivement les bras pour protéger son visage, il lâcha l'éclat, prit appui sur le lavabo et porta à Kuban un double coup de pied à la poitrine qui chassa instantanément l'air de ses poumons. Il enchaîna par trois directs au visage et n'eut qu'à exercer une légère poussée pour que sa cible bascule hors des toilettes et s'effondre sur le sol sans connaissance.

En fouillant sa victime, il trouva un épais portefeuille et un pistolet automatique qu'il glissa dans sa ceinture. Il quitta le bureau, les yeux écarlates et les mains maculées de sang. Il courut jusqu'à la cage d'escalier, dévala les marches menant au rez-de-chaussée puis franchit la porte menant au parking, dont seules cinq places sur deux cents étaient occupées. Il chercha en vain du regard le monospace à bord duquel il avait rejoint les lieux.

Se rappelant avoir senti un objet saillant dans le porte-feuille de Kuban, il en tira une télécommande portant le logo Volkswagen. Il jeta un œil aux véhicules puis brandit le dispositif en direction d'une Passat gris métallisé dont la lunette arrière était ornée du logo d'une agence de location.

Aussitôt, un signal sonore se fit entendre et les phares de la voiture clignotèrent brièvement. Ryan avait acquis des notions de conduite dans le cadre de sa formation d'agent opérationnel, mais il n'avait pas encore suivi la semaine de stage permettant de se familiariser aux techniques de pilotage avancé. Guère rassuré, il s'assit derrière le volant et passa quelques minutes à régler les rétroviseurs et à se familiariser avec les commandes.

Le haut-parleur de son BlackBerry endommagé émit un crachotement. Il porta l'appareil à son oreille.

— Ryan, tu vas bien ? demanda Ning.

— J'ai passé des soirées plus tranquilles, mais je me sens un peu mieux depuis que j'ai dérouillé Kuban. Où es-tu ? Ethan est avec toi ?

— Oui. J'ai réussi à le sortir de l'hôpital. J'avais peur que les hommes de Leonid ne réalisent qu'ils s'étaient gouré et ne reviennent le chercher. Je l'ai poussé dans sa chaise roulante sur plus d'un kilomètre. On est sur un parking, derrière un magasin de systèmes d'air conditionné. Je viens d'avoir Amy. Elle dit qu'il serait trop dangereux d'emprunter un taxi. Elle doit nous envoyer un chauffeur de l'ambassade britannique.

— J'ai trouvé une bagnole, dit Ryan en étudiant le tableau de bord de la Passat. Je n'ai pas de GPS, mais il y a une carte routière sur le siège passager. Je vais rouler quelques kilomètres au hasard, histoire de m'éloigner de l'endroit où ces salauds m'ont emmené pour m'interroger. Envoie-moi ta position géographique par SMS, et je tâcherai de venir vous chercher.

# 37. Une offre généreuse

Roulant à faible vitesse, Ryan parvint à rejoindre le lieu où Ning et Ethan avaient trouvé refuge.

— Deux anges gardiens ! répétait ce dernier, assommé par les sédatifs, tandis que ses camarades l'installaient sur la banquette arrière.

Il sombra avant même que la Passat ait quitté le parking.

À son réveil, le lendemain matin, il considéra d'un œil rond la chambre où il se trouvait. Il ne portait que le bas de pyjama qu'on lui avait procuré à l'hôpital. Un pansement masquait le pli de son coude d'où l'aiguille de l'intraveineuse avait été arrachée.

Il soulagea sa vessie dans la salle de bains attenante puis s'engagea dans un couloir menant à un vaste salon. Il y trouva Ning étendue sur un canapé de cuir noir, un ordinateur portable sur les cuisses.

— On dirait que ta cheville a enfin dégonflé, lança-t-elle sur un ton joyeux.

Ryan entra dans la pièce en trottinant. Pieds nus, il ne portait qu'un T-shirt et un short de bain humide.

— Salut, mec ! lança-t-il. Qu'est-ce que tu dirais d'un bon petit déjeuner ?

— Je veux savoir ce qui se passe, dit Ethan d'une voix blanche. Je veux savoir *qui tu es*.

Ryan ne pouvait lui révéler l'existence de CHERUB, mais il avait reçu des instructions précises concernant l'attitude à adopter au réveil de son camarade. Il devait confesser avoir reçu l'ordre de demeurer en contact avec lui après le décès de sa mère, mais nier formellement s'être trouvé en Californie dans le seul but de recueillir des informations relatives au clan Aramov.

— Tu n'as jamais ressenti une démangeaison au niveau de la fesse droite ? demanda-t-il.

Ethan resta médusé.

— Oui. À cet endroit-là. Comment le sais-tu ?

— Après la mort de ta mère, la CIA a découvert sa véritable identité : Galenka Aramov. Ils t'ont implanté un émetteur GPS. Environ quatre-vingt-cinq pour cent des sujets qui subissent cette intervention souffrent de légères déman- geaisons.

— Légères ? J'ai passé des nuits à me gratter.

— Ce dispositif n'est pas plus gros qu'un cachet d'aspirine. On ne peut pas le sentir, car il est protégé par une enveloppe en silicone. L'idée de la CIA, c'était de pouvoir te localiser après ton exfiltration vers le Kirghizstan. Le problème, c'est que le mouchard a rapidement cessé d'émettre. Alors mon père a reçu des ordres, et il m'a chargé de rester en contact avec toi via Internet.

Mesurant aussitôt les implications de ces informations, Ethan comprit qu'il avait été manipulé lors de son séjour au Kremlin.

— Alors le programme de piratage, ce n'était pas ton idée, n'est-ce pas ? C'était la CIA qui tirait les ficelles. Ils voulaient savoir ce qui se trouvait sur les ordinateurs de Leonid.

— En effet.

Abasourdi, Ethan se laissa tomber dans un fauteuil.

— Je croyais que tu étais mon ami, gronda-t-il.

— Tu ne peux pas imaginer la pression qu'ils m'ont mise. Je *suis* ton ami, Ethan, mais quand des agents de la CIA viennent frapper à ta porte, tu n'as pas vraiment le choix.

— Ils t'ont menacé ?

Ryan haussa les épaules puis débita un mensonge soigneusement établi.

— Quand la CIA te dit *saute*, tu sautes. Je ne voulais pas être impliqué dans cette histoire, mais ils ont dit qu'ils lanceraient une enquête fiscale visant les sociétés de mon père. Comme je rechignais toujours, ils m'ont expliqué qu'ils pouvaient créer des preuves de toutes pièces, me faire arrêter pour cambriolage et m'envoyer dans une prison pour mineurs.

— Si je comprends bien, hier, ce n'est pas Leonid qui a repris le contrôle des comptes auxquels je n'ai pas pu accéder. C'était la CIA.

— Oui. Et si tout s'était passé comme prévu, tu n'aurais pas pu transférer un seul rouble. Seulement, leur serveur a planté, et l'opération a été retardée de quelques heures.

— N'empêche, j'ai sauvé la majeure partie de la fortune de ma grand-mère, dit fièrement Ethan.

Ryan secoua la tête.

— Tu as laissé un brouillon sur ta boîte Hotmail. Tous tes mots de passe bancaires y figuraient. La CIA a saisi le fric qui se trouvait sur le compte du Crédit industriel russe.

— Merde...

— Je croyais que tu détestais ta famille, fit observer Ryan.

— Il y a quand même des gens auxquels je tiens, au Kirghizstan. Et sans argent, le clan va exploser...

— C'est de cela que je voulais te parler.

Mais Ethan, plongé dans ses pensées, perdit le fil de la conversation.

— Comment se fait-il que tu te trouvais à l'hôpital, cette nuit ?

— Ils m'ont fait venir de Californie parce qu'ils pensaient qu'il valait mieux que tu apprennes la vérité de ma bouche. J'attendais ton réveil quand les hommes de ton oncle ont essayé de t'enlever. Il a bien fallu que j'intervienne.

Ethan observa quelques secondes de silence.

— Est-ce que je vais avoir des ennuis avec les autorités américaines ? Tous ces transferts que j'ai effectués, hier, ils devaient être illégaux, non ? La CIA va me jeter en prison ?

— Ils m'ont dit qu'ils ne te laisseraient pas tomber, pourvu que tu acceptes de coopérer.

— Qu'est-ce qu'ils attendent de moi ?

Au même instant, une petite femme portant de hautes bottes et une cape en tissu écossais fit son apparition. Elle avait espionné toute la discussion depuis la salle à manger voisine, et intervenait à point nommé.

— Je suis le Dr Denise Huggan, dit-elle en se dirigeant vers Ethan. Mais tout le monde m'appelle Dr D. Je dirige l'ULFT, l'Unité de lutte contre les facilitateurs transnationaux, un département de la CIA.

— Les facili-quoi ?

— L'ULFT a pour mission de démanteler les réseaux criminels spécialisés dans le transport de marchandises illégales à l'échelon international, expliqua Ryan.

Le Dr D s'éclaircit la gorge.

— Sans liquidités, l'organisation de ta grand-mère s'effondrera en quelques jours. J'aimerais que tu la contactes par téléphone afin que je puisse lui exposer la situation.

Ethan enfouit son visage entre ses mains.

— Je suis mort, lâcha-t-il. Hier, j'étais un héros. À présent, je ne suis qu'un traître qui a aidé la CIA à ruiner sa famille.

— Nous te soutiendrons, dit Ryan.

Ethan se dressa d'un bond.

— Ah oui ? rugit-il. Comme la dernière fois, quand vous m'avez planté un émetteur dans le cul et laissé les gorilles de ma grand-mère me kidnapper ? Tu étais mon seul ami, Ryan. Je pensais que tu tenais à moi.

— Mais je tiens à toi. Le truc, c'est que je n'avais pas le choix.

Ethan fondit en sanglots.

— Pourquoi a-t-il fallu que ma mère meure ? Je veux juste être un garçon comme les autres… Tout ce que je demande, c'est une vie normale.

— Nous te trouverons une famille adoptive, aux États-Unis, dit le Dr D. Tu auras une nouvelle identité. Et tu n'auras pas à t'inquiéter pour le futur, car tu as hérité de ta mère une importante somme d'argent.

Ethan resta muet. Cette proposition ne le laissait pas insensible, mais il éprouvait une colère noire à l'idée d'avoir été manipulé et d'avoir frôlé la mort au nom d'intérêts qui le dépassaient.

— Tout ce que je te demande, insista le Dr D, c'est d'appeler le Kremlin et de me mettre en contact avec ta grand-mère. Ça ne prendra que quelques minutes.

— Allez vous faire foutre, gronda Ethan avant de saisir un coussin et de le serrer contre sa poitrine.

— Bon sang, mon garçon, ne me dis pas que tu prends le parti de ta famille ! Tu as vécu avec ces criminels. Tu sais désormais parfaitement à quelles activités ils se livrent. As-tu déjà eu une pensée pour ces jeunes Chinoises traitées comme des marchandises, droguées et contraintes à se prostituer ? Et l'héroïne qu'ils acheminent depuis l'Afghanistan ? Et les armes livrées dans des pays en proie à la guerre civile ?

Ethan ouvrit la bouche, mais ne lâcha pas un mot.

— Je connais bien mon métier, poursuivit le Dr D. Dans certaines circonstances, nous sommes contraints d'appliquer les méthodes de nos ennemis. Mon petit, je n'ai jamais voulu te faire du mal, mais à long terme, la chute du clan Aramov pourrait sauver des milliers de vies.

Ethan gardait les yeux rivés sur ses genoux. Des larmes roulaient sur ses joues.

250

— Je t'ai fait une offre généreuse, continua la femme en haussant subtilement le ton. Mais tu dois savoir ce qu'il adviendra de toi si tu ne la saisis pas. Tu seras conduit aux États-Unis et placé dans un établissement pénitentiaire pour mineurs dans l'attente de ton procès pour blanchiment de fonds liés au trafic de drogue. Je doute que le procureur parvienne à réunir suffisamment de preuves pour obtenir une condamnation, mais compte tenu de l'ampleur de l'enquête, tu ne retrouveras pas la liberté avant deux ou trois ans.

Sur ces mots, elle hocha la tête en direction de Ning.

— Passe-lui le téléphone.

Ryan s'était toujours senti responsable des souffrances qu'Ethan avait endurées depuis la mort de sa mère. La scène qui se déroulait devant ses yeux était difficilement supportable.

Ning posa le téléphone sur l'accoudoir du fauteuil où était recroquevillé le garçon.

— Cesse de pleurer, ordonna le Dr D.

— Ça va aller, dit Ryan en lui remettant deux Kleenex tirés d'une boîte en carton. Appelle ta grand-mère. Ensuite, tu pourras vivre en paix.

Ethan leva la tête et le regarda droit dans les yeux.

— Tu habites toujours la grande villa, sur la plage, avec Ted et Amy ?

— Bien sûr, mentit Ryan. Il y a eu des travaux dans tout le lotissement, pour réparer les dégâts causés par l'explosion, mais on s'est réinstallés il y a deux mois.

— Tu crois que je pourrais venir vivre avec vous ?

— Il faudra que je demande à mon père, mais je sais qu'il t'aime bien.

— Ça ne ramènerait pas ma mère à la vie, mais au moins, je pourrais retourner à mon ancien collège et retrouver les lieux où j'ai grandi.

— Oui, ce serait super, dit Ryan, la gorge serrée. Allez, décroche ce téléphone.

— OK, lâcha Ethan.

Il prit une profonde inspiration, se sécha les yeux avec un mouchoir en papier puis s'empara du combiné.

Il composa le numéro du standard du Kremlin, puis les trois chiffres du poste d'Irena.

— Ça sonne, chuchota-t-il.

Dès qu'il eut brièvement informé sa grand-mère de la situation, le Dr D saisit l'appareil.

— Irena Aramov? dit-elle. Je suis heureuse de pouvoir à nouveau m'entretenir avec vous.

— Nous nous connaissons?

Compte tenu des nouvelles que venait de lui annoncer son petit-fils, la voix de la vieille dame semblait étonnamment posée.

— Nous nous sommes rencontrées il y a seize ans, à Moscou, expliqua le Dr D. Vous tentiez de faire passer des détonateurs de bombes nucléaires volées en Israël vers la Corée du Nord. Nous avons personnellement négocié le prix. Bien sûr, les armes étaient factices. Vous avez perdu trois appareils dans l'opération, et neuf membres de votre orga- nisation ont fini derrière les barreaux.

— Vous êtes une femme intelligente, grinça Irena. Vous devez être très fière de votre travail.

— Nous avons votre argent. La chute du clan est inévitable. Il ne tient qu'à vous que les choses se passent en douceur ou tournent au bain de sang.

— Je ne suis pas encore complètement gâteuse. Je suis peut- être vieille et malade, mais il est inutile de me faire un dessin.

— Tous les membres de votre famille qui accepteront de coopérer avec nos services lors du démantèlement du réseau seront libres de rejoindre les États-Unis. Aucune poursuite judiciaire ne sera engagée à leur égard.

Irena s'accorda quelques secondes de réflexion.

— Quelqu'un m'a fait lire un article consacré à un oncologue de Philadelphie, dit-elle. Il obtient des résultats exceptionnels auprès des patients atteints du cancer du poumon grâce à une thérapie expérimentale.

— Laissez-moi vous rappeler que vous n'êtes pas en position de négocier. Le clan sera livré à l'anarchie à la première facture que vous ne pourrez honorer.

Irena lâcha un éclat de rire.

— Cette anarchie, vous ne la souhaitez pas plus que moi.

— C'est exact. Je suis disposée à faire des concessions. L'ULFT dirigera les affaires du clan jusqu'à son démantèlement. En échange, si votre état de santé vous permet de suivre ce traitement, nous ne nous y opposerons pas. Acceptez-vous ces propositions ?

Irena marqua une nouvelle pause.

— Oui, je crois que nous voilà parvenues à un accord.

## 38. Bombe à fragmentation

Les trois membres de l'équipe regagnèrent le campus de CHERUB le vendredi suivant, aux alentours de quatorze heures. La tempe criblée de points de suture, Kazakov prit rapidement congé de ses agents avant de rejoindre son appartement, au deuxième étage du bâtiment principal.

En ce début d'après-midi, Ryan et Ning trouvèrent le septième étage désert. Alors qu'elle se trouvait devant la porte de sa chambre, cette dernière sentit son mobile vibrer dans sa poche.

— Un SMS de Zara, dit-elle après avoir lu le message affiché à l'écran. Réunion de fin de mission à dix-sept heures dans son bureau. Je ne sais pas pourquoi, mais quand je te regarde, je pense que le bleu marine t'irait à ravir.

Ryan essaya de jouer les modestes, mais il rayonnait de joie à l'idée de recevoir une promotion.

— Si seulement je pouvais revenir en arrière, et faire en sorte qu'Ethan n'endure pas toutes ces épreuves.

— Il est sorti d'affaire, dit Ning. Le Dr D lui a donné quelques jours pour réfléchir à ce qu'il souhaite faire de sa vie.

— Il m'a à peine adressé la parole, à partir du moment où je lui ai annoncé qu'il ne pourrait pas venir vivre avec moi. Mais comme il n'a pas d'autre ami, je vais essayer de garder le contact.

— Zara te l'interdira, fit observer Ning. Tu te souviens de l'histoire que nous a racontée Speaks, pendant le programme

254

d'entraînement ? Cette fille... Bethany, je crois... elle a été virée de CHERUB pour avoir échangé des mails avec un garçon rencontré pendant une mission.

Ning entra dans sa chambre puis bâilla à s'en décrocher la mâchoire.

— Une petite douche vite fait, un paquet de chips, et à la sieste. On se retrouve au bureau de la direction ?

Ryan rejoignit ses quartiers. Il laissa tomber ses bagages près de la porte, posa son BlackBerry sur un dock de recharge équipé de haut-parleurs et sélectionna sa liste de lecture MP3 préférée. L'appareil endommagé refusa obstinément de se connecter.

L'idée de recevoir un nouveau mobile avait quelque chose d'excitant. Il possédait le même téléphone depuis son arrivée à CHERUB, et il rêvait de mettre la main sur un iPhone ou un terminal Android. Il ôta ses baskets et fixa le plafond pendant quelques minutes avant de se décider à se faire couler un bain.

Il n'en sortit que lorsque sa peau commença à se rider, à l'heure de la sortie des cours. À mesure que les agents investissaient le septième étage, des cris se firent entendre dans le couloir. Après s'être séché et avoir enfilé un short, il passa un T-shirt CHERUB gris en se demandant si c'était la dernière fois qu'il portait un vêtement réglementaire de cette couleur.

Il fit glisser la fermeture Éclair de l'un de ses sacs, en tira une boîte de chocolats, puis alla frapper à la porte de Grace.

— Entrez, dit cette dernière.

Ryan n'en menait pas large. Il avait beau s'être frotté à Kuban et Boris Aramov, son ex lui inspirait une sainte terreur.

— Tiens donc, qui voilà ? lança-t-elle sur un ton aigre, assise sur son lit, en enfilant un protège-tibia.

— Je t'ai rapporté ça, dit Ryan en lui tendant la boîte de chocolats. Je sais que je n'ai pas assuré, en te quittant par

SMS. J'aurais dû faire les choses dans les règles, les yeux dans les yeux.

Grace sortit une chaussette de hockey rayée de son sac de sport. Il posa son cadeau au bout du lit.

— Tu vas bien ? demanda-t-il. Je ne te demande pas de me pardonner. Tout ce qui m'importe, c'est que tu ne sois pas triste.

Un ange passa. Prenant soin de ne pas croiser le regard de son ancien petit ami, Grace se leva, ouvrit la porte de son armoire et en sortit une paire de chaussures de sport.

— En tout cas, si tu as besoin d'en parler, je suis là, ajouta Ryan avant de quitter la pièce. J'espère qu'on pourra rester amis.

S'il aurait souhaité voir Grace se montrer plus communicative, il se félicitait de ne pas avoir essuyé de violences, comme lors de leur première rupture.

De retour dans sa chambre, il trouva son petit frère Théo assis sur le canapé.

— Comment as-tu su que j'étais de retour ?

— J'ai reconnu ton odeur. Tiens, c'est pour toi.

L'enfant lui remit un assemblage de tubes en carton badigeonnés de peinture noire et orange.

— C'est une mitraillette, mais la gâchette s'est décollée, expliqua Théo.

— Elle est super. Je vais la mettre sur mon étagère.

— Je l'ai montrée à Daniel et Léon, hier soir. Ils ont dit qu'elle était toute pourrie.

Réprimant un sourire, Ryan plaça l'œuvre d'art à côté de la photo de ses défunts parents.

— Les jumeaux n'arrêtent pas de se payer ta poire. Je t'ai dit cent fois de ne pas faire attention à ce qu'ils racontent.

— Alors, c'était bien, ta mission ? demanda Théo.

— Oui, super.

— L'autre jour, j'ai oublié de fermer la cage des hamsters et ils se sont enfuis. Alors j'ai dû faire des tours de stade.

Le petit garçon semblait tout fier d'avoir récolté sa première punition.

Soudain, la porte de la chambre s'ouvrit à la volée.

— Voilà ce que j'en fais, de tes chocolats à la con! hurla Grace avant de lancer la boîte au visage de Ryan.

Le projectile tournoya dans les airs en se vidant de son contenu à la manière d'une bombe à fragmentation.

— Trop possessive! cria-t-elle en se ruant dans la pièce en brandissant une crosse de hockey.

Elle en flanqua un coup sec sur les mollets de son ex-petit ami.

— Aïe! Je… je n'ai jamais dit que tu étais trop possessive…

— J'ai surpris une conversation entre Max et Alfie. Alors ne me mens pas, espèce de salaud!

Indifférent à la dispute, Théo ouvrit des yeux ronds, s'empara de deux chocolats qui avaient atterri sur le lit et les fourra dans sa bouche.

Bondissant aux quatre coins de la pièce, Ryan reçut cinq coups de crosse aux tibias et aux rotules.

— Lâche ce truc, bon Dieu! glapit-il. Tu es malade, ou quoi?

— Pauvre mec!

— Ça ne marchait pas entre nous, plaida Ryan. Les gens se séparent, c'est la vie! Je me suis excusé pour la façon dont je m'y suis pris, alors restons-en là, tu veux?

— Je te hais!

Cette fois, Ryan intercepta la crosse, la lui arracha des mains puis s'en servit pour la plaquer contre le mur.

— Ça suffit comme ça, dit-il. Il me semble que j'ai assez dérouillé. Si tu continues, je riposte, compris?

Sur ces mots, il laissa tomber la crosse et recula de trois pas.

— Tu ne me fais pas peur, cracha Grace. Essaye un peu de me frapper. Tu vas voir ce que tu vas prendre.

— Je suis plus grand et plus fort que toi.

À cet instant, il réalisa que son frère, à quatre pattes sur la moquette, gobait tous les chocolats qui lui tombaient sous la main.

— Théo, arrête ça immédiatement ! Je n'ai pas passé l'aspirateur depuis des siècles. C'est dégueulasse !

— Ordure ! explosa Grace avant de se baisser pour ramasser son arme et d'en flanquer un ultime coup à son ex-petit ami.

Cette fois, Ryan perdit patience. Il la saisit par le col et lui flanqua une claque magistrale.

— OK, ça suffit, maintenant ! lança-t-il avant de la pousser vers la porte sans ménagement.

Il n'était pas très fier de lui. En outre, il redoutait que l'acte irréfléchi qu'il venait de commettre n'entache durablement sa réputation.

— Ah c'est comme ça ? couina Grace, sous le choc.

Alors que Ryan s'attendait à essuyer une nouvelle attaque, elle se saisit d'une pile de manuels scolaires posée près de l'entrée et courut jusqu'à sa chambre.

— Eh, rends-moi ça, espèce de folle ! hurla-t-il en se lançant à sa poursuite.

Grace jeta la crosse sur son lit, s'enferma dans sa salle de bains et ouvrit en grand le robinet de la baignoire.

— Tu es complètement dingue, gronda Ryan en frappant à la porte. Qu'est-ce que tu fous ?

— Je donne un bain à tes bouquins. On dirait que ton manuel d'histoire-géo a un fort pouvoir absorbant. Les maths ont coulé à pic, mais le français flotte correctement.

— Ouvre cette porte ! rugit Ryan en donnant un coup d'épaule dans le panneau de bois.

Il la supplia vainement pendant quelques secondes avant de changer de stratégie. Il marcha vers le fond de la chambre, ouvrit la fenêtre et rafla tout ce qu'il put trouver sur le bureau.

— Je vais bazarder tes cahiers, quelques fringues et une paire de chaussures, annonça-t-il.

Grace se rua hors de la salle de bains au moment précis où Ryan lâchait la brassée d'objets personnels. Les cahiers atterrirent dans les buissons, sept étages plus bas, mais le vent emporta les vêtements les plus légers jusqu'à la cime des arbres.

Elle poussa un hurlement déchirant puis se précipita vers la crosse de hockey. Il plongea à son tour sur le lit, si bien qu'ils s'emparèrent du manche au même instant. Grace, qui avait atterri sur le dos, serra fermement les jambes autour de la taille de Ryan et le força à s'étendre sur elle.

— OK, j'abandonne, gloussa-t-elle. Tu m'as attrapée.

Ryan la regarda droit dans les yeux. Souhaitait-elle vraiment qu'il l'embrasse ou essayait-elle seulement de l'amadouer afin de lui porter un coup vicieux ? Malgré ses craintes, il sentit toute volonté l'abandonner. Une fois de plus, il fut incapable de résister au visage séduisant et au corps parfait de Grace.

Au moment où leurs lèvres se touchèrent, Théo, qui avait assisté à la scène depuis le couloir, enfouit son visage entre ses mains.

— Beurk, c'est dégoûtant, couina-t-il.

Grace empoigna fermement les fesses de Ryan. Redoutant d'être tombé dans un piège, ce dernier se dressa d'un bond, comme s'il venait de recevoir une décharge de dix mille volts.

— Tu es super mignonne, mais tu es une psychopathe, dit-il en titubant vers la porte. Je ne veux plus rien avoir à faire avec toi.

Grace plissa les yeux. Elle s'apprêtait à repartir à l'assaut quand Beatha Johannsson fit irruption dans la chambre.

— Quel est le crétin qui s'est permis de jeter des objets par la fenêtre ? tonna-t-elle. Quelqu'un aurait pu être blessé !

Grace et Ryan ne dirent pas un mot.

— Vous appliquez la loi du silence ? gronda l'éducatrice. Très bien, dans ce cas, vous discuterez de cet incident dans le bureau de la directrice.

— Ce n'était que des cahiers et des vêtements, plaida Ryan. Quel genre de blessure peut infliger un soutien-gorge lancé du septième étage ?

L'éducatrice leva les yeux au ciel.

— Allez ramasser votre bordel. Si un membre de la direction voit ça, vous aurez de sérieux problèmes.

Grace pointa un doigt accusateur vers Ryan.

— C'est lui le coupable. Je ne vois pas pourquoi je devrais réparer ses bêtises.

— Tes difficultés à contrôler ta colère t'ont déjà valu pas mal d'ennuis. Si j'étais toi, je marcherais sur des œufs. Bref, si l'un de vous ajoute encore un mot, vous écoperez tous les deux de cinquante tours de piste.

La mine sombre, les agents s'engagèrent dans le couloir.

— Connard, chuchota-t-elle tandis qu'ils patientaient devant la cage d'ascenseur.

— Abrutie.

— Je n'en ai pas terminé avec toi.

— Si tu me frappes encore avec cette crosse, je te la fracasse sur le crâne.

Grace lâcha un soupir méprisant.

— Je te l'aurai déjà collée où je pense avant que tu puisses réagir.

— Tu es tellement immature.

— C'est toi qui es immature.

— Tu sais que je te déteste ? lâcha Ryan en pénétrant dans la cabine.

— Crève, répliqua Grace en lui emboîtant le pas. Je vais rater l'entraînement de hockey à cause de toi.

— C'est un sport à la con, de toute façon.

Les deux agents se fusillèrent du regard. Lorsque l'ascenseur s'immobilisa à hauteur du cinquième étage pour laisser entrer deux jeunes résidents, ils affichèrent une mine faussement détendue. Ryan se sentait un peu perdu.

Il rêvait de massacrer Grace.

Il brûlait de l'embrasser passionnément.

Une seule chose était claire dans son esprit : cette fille le rendait complètement dingue.

# Table des chapitres

1. Jour cent     **5**
2. La loi des Aramov     **11**
3. Gris     **18**
4. Le geek et le Yankee     **23**
5. Un enseignement d'exception     **29**
6. L'arme absolue     **36**
7. À l'épreuve des obus     **44**
8. Banzai !     **52**
9. Quartier libre     **60**
10. Au point mort     **69**
11. Le Livre de la jungle     **76**
12. Lavage automatique     **82**
13. Gin tonic     **91**
14. Un autre passager     **99**
15. Une aiguille dans une botte de foin     **108**
16. Comme un animal en cage     **115**
17. Irrespirable     **122**
18. Guerre froide     **128**
19. Ultimate fighting     **134**

20. Plan B                              142
21. À découvert                         148
22. Amina                               155
23. Un pur sadique                      161
24. East Kanye                          165
25. Un vrai gentleman                   171
26. Mutilé de guerre                    179
27. La dame de fer                      184
28. Recherche réseau                    190
29. Las Vegas                           196
30. Coupable, Votre Honneur             202
31. Trois fois la vitesse du son        208
32. Façon Spetsnaz                      214
33. Un enfant égoïste                   219
34. Coup fatal                          227
35. Kuban                               232
36. Aussi simple que ça                 239
37. Une offre généreuse                 246
38. Bombe à fragmentation               254

James n'a que 12 ans lorsque sa vie tourne au cauchemar. Placé dans un orphelinat sordide, il glisse vers la délinquance. Il est alors recruté par **CHERUB**, une mystérieuse organisation gouvernementale. James doit suivre un éprouvant programme d'entraînement avant de se voir confier sa première mission d'agent secret. Sera-t-il capable de résister 100 jours ? 100 jours en enfer...

Depuis vingt ans, un puissant trafiquant de drogue mène ses activités au nez et à la barbe de la police. Décidés à mettre un terme à ces crimes, les services secrets jouent leur dernière carte : **CHERUB**. À la veille de son treizième anniversaire, l'agent James Adams reçoit l'ordre de pénétrer au cœur du gang. Il doit réunir des preuves afin d'envoyer le baron de la drogue derrière les barreaux. Une opération à haut risque...

Au cœur du désert brûlant de l'Arizona, 280 jeunes criminels purgent leur peine dans un pénitencier de haute sécurité. Plongé dans cet univers impitoyable, James Adams, 13 ans, s'apprête à vivre les instants les plus périlleux de sa carrière d'agent secret **CHERUB**. Il a pour mission de se lier d'amitié avec l'un de ses codétenus et de l'aider à s'évader d'Arizona Max.

En difficulté avec la direction de **CHERUB**, l'agent James Adams, 13 ans, est envoyé dans un quartier défavorisé de Londres pour enquêter sur les activités obscures d'un petit truand local.

Mais cette mission sans envergure va bientôt mettre au jour un complot criminel d'une ampleur inattendue.

Une affaire explosive dont le témoin clé, un garçon solitaire de 18 ans, a perdu la vie un an plus tôt.

Le milliardaire Joel Regan règne en maître absolu sur la secte des Survivants. Convaincus de l'imminence d'une guerre nucléaire, ses fidèles se préparent à refonder l'humanité. Mais derrière les prophéties fantaisistes du gourou se cache une menace bien réelle... L'agent **CHERUB** James Adams, 14 ans, reçoit l'ordre d'infiltrer le quartier général du culte. Saura-t-il résister aux méthodes de manipulation mentale des adeptes ?

Des milliers d'animaux sont sacrifiés dans les laboratoires d'expérimentation scientifique.

Pour les uns, c'est indispensable aux progrès de la médecine. Pour les autres, il s'agit d'actes de torture que rien ne peut justifier. James et sa sœur Lauren sont chargés d'identifier les membres d'un groupe terroriste prêt à tout pour faire cesser ce massacre. Une opération qui les conduira aux frontières du bien et du mal...

Lors de la chute de l'empire soviétique, Denis Obidin a fait main basse sur l'industrie aéronautique russe. Aujourd'hui confronté à des difficultés financières, il s'apprête à vendre son arsenal à des groupes terroristes. La veille de son quinzième anniversaire, l'agent CHERUB James Adams est envoyé en Russie pour infiltrer le clan Obidin. Il ignore encore que cette mission va le conduire au bord de l'abîme...

Les autorités britanniques cherchent un moyen de mettre un terme à l'impitoyable guerre des gangs qui ensanglante la ville de Luton. Elles confient à CHERUB la mission d'infiltrer les Mad Dogs, la plus redoutable de ces organisations criminelles. De retour sur les lieux de sa deuxième mission, James Adams, 15 ans, est le seul agent capable de réussir cette opération de tous les dangers...

Un avion de la compagnie Anglo-Irish Airlines explose au-dessus de l'Atlantique, faisant 345 morts.
Alors que les enquêteurs soupçonnent un acte terroriste, un garçon d'une douzaine d'années appelle la police et accuse son père d'être l'auteur de l'attentat.
Deux agents de CHERUB sont aussitôt chargés de suivre la piste de ce mystérieux informateur...

Le camp d'entraînement militaire de Fort Reagan recrée dans les moindres détails une ville plongée dans la guerre civile. Dans ce décor ultra réaliste, quarante soldats britanniques sont chargés de neutraliser out un régiment de l'armée américaine. L'affrontement semble déséquilibré, mais les insurgés disposent d'une arme secrète : dix agents de CHERUB prêts à tout pour remporter la bataille...

De retour d'un long séjour en Irlande du Nord, l'agent CHERUB Dante Scott se voit confier une mission à haut risque : accompagné de James et Lauren, il devra infiltrer le Vandales Motorcycle Club, l'un des gangs de bikers les plus puissants et les plus redoutés d'Angleterre. Leur objectif : provoquer la chute du Führer, le chef des Vandales. Un être sanguinaire dont Dante, hanté par un terrible souvenir d'enfance, a secrètement juré de se venger...

Le gouverneur de l'île de Langkawi profite d'un tsunami pour implanter des hôtels de luxe à l'emplacement des villages dévastés... Quatre ans plus tard, James Adams doit assurer la sécurité du gouverneur lors de sa visite à Londres. Mais l'ex-agent Kyle Blueman lui propose d'entreprendre une opération clandestine particulièrement risquée. James trahira-t-il CHERUB pour prêter main-forte à son meilleur ami ?

## NOUVEAU HÉROS, NOUVEAU DESTIN

Après huit longs mois d'attente, Ryan se voit enfin confier sa première mission CHERUB. Sa cible : Ethan, un jeune Californien privilégié passionné par l'informatique et le jeu d'échecs. Le profil type du souffre-douleur idéal... sauf que sa grand-mère dirige le plus puissant syndicat du crime du Kirghizstan. Si Ryan espérait profiter de cette opération pour bronzer sous le soleil californien, il déchantera bien vite.

# Pour tout apprendre des origines de CHERUB, lisez la série Henderson's Boys

**Été 1940. L'aventure CHERUB est sur le point de commencer...**

## Tome 1
# L'EVASION

Été 1940.
L'armée d'Hitler fond sur Paris, mettant des millions de civils sur les routes.
Au milieu de ce chaos, l'espion britannique Charles Henderson cherche désespérément à retrouver deux jeunes Anglais traqués par les nazis. Sa seule chance d'y parvenir : accepter l'aide de Marc, 12 ans, un gamin débrouillard qui s'est enfui de son orphelinat. Les services de renseignement britanniques comprennent peu à peu que ces enfants constituent des alliés insoupçonnables. Une découverte qui pourrait bien changer le cours de la guerre…

## Tome 2
# LE JOUR DE L'AIGLE

**Derniers jours de l'été 1940.**
Un groupe d'adolescents mené par l'espion anglais
Charles Henderson tente vainement de fuir la France
occupée. Malgré les officiers nazis lancés à leurs
trousses, ils se voient confier une mission d'une
importance capitale : réduire à néant les projets
allemands d'invasion de la Grande-Bretagne.
L'avenir du monde libre est entre leurs mains…

Tome 3
# L'ARMÉE SECRÈTE

Début 1941.
Fort de son succès en France occupée, Charles
Henderson est de retour en Angleterre avec six
orphelins prêts à se battre au service de Sa Majesté.
Livrés à un instructeur intraitable, ces apprentis
espions se préparent pour leur prochaine mission
d'infiltration en territoire ennemi. Ils ignorent
encore que leur chef, confronté au mépris de sa
hiérarchie, se bat pour convaincre l'état-major
britannique de ne pas dissoudre son unité…

Tome 4
# OPÉRATION U-BOOT

Printemps 1941.
Assaillie par l'armée nazie, la Grande-Bretagne
ne peut compter que sur ses alliés américains pour
obtenir armes et vivres. Mais les cargos sont
des proies faciles pour les sous-marins allemands,
les terribles U-Boot.
Charles Henderson et ses jeunes recrues partent
à Lorient avec l'objectif de détruire la principale base
de sous-marins allemands. Si leur mission échoue,
la résistance britannique vit sans doute
ses dernières heures…

**Pour raison d'État, ces agents n'existent pas.**

CET OUVRAGE
A ÉTÉ ACHEVÉ D'IMPRIMER
SUR CAMERON
PAR L'IMPRIMERIE NIIAG
À BERGAME (ITALIE)
EN DÉCEMBRE 2012